IFOR OWEN

Mewn Meysydd Eraill

Plât enw oedd yn ymddangos yn llyfrau mawr Hwyl

Argraffiad cyntaf: Gorffennaf 2009

Rhif Llyfr Safonol Rhyngwladol: 978-1-84527-232-6
Llun clawr: 'Llyn Tegid' gan Ifor Owen; cynllun clawr: Gareth Owen/Sian Parri

Mae'r cyhoeddwyr yn cydnabod cefnogaeth ariannol
Cyngor Llyfrau Cymru.

Argraffwyd a chyhoeddwyd gan Wasg Carreg Gwalch,
12 Iard yr Orsaf, Llanrwst, Dyffryn Conwy LL26 0EH.
Ffôn: 01492 642031
Ffacs: 01492 641502
e-bost: llyfrau@carreg-gwalch.com
lle ar y we: www.carreg-gwalch.com

IFOR OWEN
mewn meysydd eraill

Golygydd:
Beryl H. Griffiths

Ifor Owen 1915 - 2007

Ifor Owen

Diffodd y bocs, a chofia am ddyn
Oedd yn adrodd dy stori – dy stori dy hun.

Rhoi bywyd i fryncyn, a hanes i lyn,
A chwedlau'n byrlymu ar lethrau pob bryn.

Cyd-destun pob cwmwd, a chytgan pob cân
Oedd hanes y Cymry, a fflamau pob tân.

Nid athro mewn dosbarth, ond cyfarwydd ein llên
Yn torri ein llwybrau o'r newydd drwy'r hen.

A'i gariad at Gymru'n risialog o glir
Fel dŵr nant y mynydd yn dawnsio dros dir.

Ac yn canu wrth droelli rhwng ceulan a brwyn,
Anwesai bob twmpath, a goglais pob twyn.

Distawodd yr awel rhwng brigau y coed,
Ond erys yr adlais mor fyw ag erioed.

Ac wrth inni gerdded hyd lwybrau'r hen fro
Diolchwn am gael rhannu o'i athrylith o.

Dafydd Iwan

DIOLCHIADAU
Credwch neu beidio, cynnyrch gwaith pwyllgor ydy'r gyfrol yma! Fe ffurfiwyd pwyllgor yn ardal Llanuwchllyn i goffau cyfraniad anferth Ifor Owen at fywyd y plwyf, ardal Penllyn a Chymru. Penderfynwyd y byddai tair elfen i'r gwaith: cerfwedd o Ifor Owen i'w osod yn y Neuadd Bentref, Llanuwchllyn; cynhyrchu cyflwyniad i'w lwyfannu yn y Babell Lên yn Eisteddfod Meirion 2009 a'r drydedd elfen oedd y llyfr hwn.
Arwydd o'r parch mawr tuag at Ifor Owen oedd rhwyddineb y gwaith o hynny ymlaen. 'Doedd dim angen pwyso ar yr un o'r cyfranwyr. Diolch yn fawr iddyn nhw i gyd. Diolch i'r canlynol hefyd am eu caniatâd i ddefnyddio eu lluniau:

Teulu E.Meirion Roberts
Evelyn Roberts, Llandrillo
Ysgol O M Edwards, Llanuwchllyn
Peter Hughes Griffiths, Caerfyrddin
Ann Lloyd Roberts, Llanuwchllyn

Bu'r teulu yn hynod o gefnogol trwy gydol yr amser ac mae ein dyled yn fawr iddyn nhw am adael i ni fenthyg yr holl ddeunyddiau at y gwaith a bod mor barod i'n helpu. Yn wir, rhoddwyd y gwaith o ddewis a dethol y lluniau a gwaith Ifor Owen ei hun i Gareth Owen, ei fab, a Mari Gwent ei wyres. Nid mater bach oedd hynny gan fod swmp ei waith yn anferth

Diolch i Wasg Carreg Gwalch am eu gwaith a'u brwdfrydedd.

Yn fwy na dim diolch i'r pwyllgor am ymddiried y gwaith i mi ac am eu cefnogaeth.

Cynnwys

Teulu a Dylanwadau

Yn un o ddau ffermdy Pentre Tai'n y Cwm, Cefnddwysarn ger y Bala lle bu'i hynafiaid yn amaethu ers mwy na thair canrif y ganed Ifor Owen ar 3 Gorffennaf 1915 a hynny ar ddiwrnod cneifio. Ef oedd cyntaf-anedig John Foulks (1889-1981) ac Ellen Owen(1891-1960) ac yn ddiweddarach fe anwyd Beryl, Gwynn ac Edna. Er bod y ffermdy arall ar ei draed o hyd does neb wedi byw yno ers degawdau a dymchwelyd yr hanner dwsin o fythynnod oedd rhwng y ddau dŷ ers mwy na chanrif. Mae'r llinach yn parhau yn y Pentre gan fod Eirwyn a'i wraig Nerys yn parhau i ffermio ar ôl ei rieni Gwynn(1920-1928) ac Eirwen (1923-1968). Roedd Ifor Owen yn hoffi sôn am ei hen hen daid John Jones (1796-1884) a ddaeth i'r Pentre yn gynnar yn y bedwaredd ganrif ar bymtheg o'r Garnedd, Tre Rhiwaedog, i weithio gyda'i hen ewythr. Gwelir yng nghyfrifiad 1841 ei fod yno yng nghwmni Margaret (1802-1884) ei wraig, o gyff Llechwedd Ystrad a Thŷ Nant, Llanuwchllyn, a'r plant John, Cathrin, Ann a Mary.

Roedd John Jones yn amaethwr a phorthmon a gan ei fod yn trafod ei fasnach mewn tafarndai bu cryn holi arno pan oedd am ymaelodi yng nghapel Presbyteraidd Cefnddwysarn adeg Diwygiad 1859. Ond fe'i derbyniwyd ac ym 1867 fe'i hetholwyd yn flaenor. Disgrifir ef gan y Parchedig William Williams, Glyndyfrdwy, yn ei gyfrol **Methodistiaeth Dwyrain Meirionydd** (1902), t.219 fel *"Gŵr o argyhoeddiadau cryfion, a dyn o feddwl cryf ac o ewyllys gref"*. Dilynwyd ef yn y Pentre gan ei fab di-briod John(1828-1912).

Ymhell cyn codi capel Cefnddwysarn yr oedd yna lawer iawn o Grynwyr yr ardaloedd cyfagos yn cynnal cyfarfodydd ar fuarth y Pentre ac y mae Ifor Owen yn ei sgyrsiau radio "Dylanwadau" 1990, yn cyfeirio at hynny gan ddweud

"Wyddwn i ddim am hyn, a chlywais i erioed i'r Crynwyr fod yn cael eu herlid ym Mhenllyn mewn nac ysgol gynradd, ysgol sir na choleg, nes cyrraedd yn ysgolfeistr ifanc i Groesor, ac i Bob Owen fy ngoleuo. Byth er hynny mi fu gen i ddiddordeb mawr yn hanes Crynwyr Penllyn, a chydymdeimlad mawr â'u delfrydau nhw. Onid oedd yn anfaddeuol i ni blant Penllyn beidio clywed dim am y gwŷr dewr hyn a fu'n byw a diodde ar stepan ein drws fel petae".

Priododd Mary merch y Pentre â David Wyn Owen (1829-1907), a symudodd o Flaenau Ffestiniog lle'r oedd yn un o sylfaenwyr Eglwys Bresbyteraidd y Tabernacl ym 1864 ac yn flaenor, i Lerpwl lle bu'n flaenor gyda'r Presbyteriaid Cymraeg yng nghapel Parc Walton. Roedd yn un o feibion William a Catherine Owen, Tŷ Capel , Bethesda y Methodistiaid yn y Blaenau. Daeth William yno o Benmachno i weithio yn Chwarel y Diffwys lle lladdwyd ef. Roedd hefyd yn Gwnstabl. Cyfeiriodd Ifor Owen fi at hanes diddorol ei hen hen daid William yng nghyfrol **11 Hanes Methodistiaeth Gorllewin Meirionydd** (1891) gan y Parchedig Robert Owen, Pennal, t.119:

"Nid oedd Robert Owen 19 oed preswylydd y tŷ capel yn briod ond cadwai house-keeper. Ofnai yr hen frodyr crefyddol i rywbeth allan o le ddigwydd a threfnasant i William Owen (llanc arall dibriod) fyned yno i letya, gan gwbl gredu y cadwai ef lywodraeth ar y tŷ. Modd bynnag, cyn pen ychydig fe briododd Catherine yr house-keeper. Mor debyg i droion meibion a merched dynion!".
"Llawn o sêl a llawn o waith...un o'r blaenoriaid goreu yn yr oes hon", meddai Robert Owen am yr hen wron.

Pan fu mab William, David, farw ym 1907 yn Lerpwl dywedwyd ei fod yn ŵr o feddwl cryf uwchlaw'r cyffredin. Bu un o'i feibion, William David Owen, yn flaenor yng nghapel Presbyteraidd Cymraeg Southport am ddeng mlynedd cyn iddo symud i Borth y Waen, y Bala ym 1926. Bu mab arall, John Jones Owen yn flaenor ym Mharc Walton o 1929 hyd ei farw ym 1934. Dyma daid Ifor Owen, a phriododd â Mary (1865-1934) o gyff Ffowciaid Dyffryn Clwyd, ei thad Robert(1830-1911) wedi symud o gartre'i dad William, Canol y Waun, Llangwyfan, i Benbedw lle bu'n gwerthu llaeth. Roedd Ifor Owen yn hoffi dweud fod un o'r Ffowciaid yma wedi byw mewn tair canrif, o 1699 i 1801.

J.F. Owen, tad Ifor Owen

John Foulk(1889-1981), tad Ifor oedd cyntaf-anedig John a Mary Owen, a dywed mewn hunangofiant diddorol a wobrwywyd yn Eisteddfod Gŵyl Ddewi Cymdeithas Gymraeg Caer, 1946, mai yn 5 Stryd Crete, Bootle, y ganed ef, a'i fedyddio yng nghapel y Methodistiaid Cymraeg yn Ffordd Stanley gan Griffith Ellis(1844-1913), brodor o Gorris fu'n weinidog yno o 1876 i 1911. Mae J.F.(fel y gelwid ef) yn cyfeirio at

"yr helynt mawr yn Lerpwl ymysg y Cymry, helynt Chatham Street, ar lafar helynt W.O., ac felly gyda llawer o Gymry eraill fe adawodd fy nhad a'm mam Eglwys Stanley Road ac ymuno yn Eglwys Rydd y Cymry fel dilynwyr selog i'r Parchedig W.O.Jones...roedd rhyw sêl a brwdfrydedd wedi meddiannu yr Eglwys newydd".

Croniclwyd hanes "Eglwys Rydd y Cymry" gan R.Tudur Jones mewn pennod yng nghyfrol gyntaf **Ffydd ac Argyfwng Cenedl** (1981), Tŷ John Penry.

Roedd gan J.F. frawd, Ivor(1891-1916) a laddwyd ym Mrwydr y Somme, a chwaer, Ceridwen fu farw ym 1913 yn un ar hugain oed. Roedd Ivor fel J.F. yn bêl-droediwr medrus ac y mae ei enw ymhlith y 18 ar faen coffa chwaraewyr tîm Bootle Albion a gollwyd ar faes y gad. Ym 1906 aeth J.F. i Borthmadog er mwyn bod yn forwr ar y sgwner hardd Blodwen ac mae ganddo hanesion diddorol am ei deithiau, er enghraifft, chwarae pêl-droed gyda thîm o Saeson yn Hamburg yn erbyn tîm o Almaenwyr gan fod y Saeson ddyn yn brin. Er mai ef a sgoriodd unig gôl y Saeson chafodd mo'i wahodd i'r te wedyn.

"Teimlais mai un o wendidau y Cymry a'r Saeson yw nad oeddynt yn gwybod sut i ymddwyn ymhell oddi cartref. Deuthum i edmygu y Daniad a'r Almaenwr am eu gallu i wneud hynny. Diolchaf hyd heddiw am gyfeillgarwch dau Almaenwr oedd gyda mi yng Ngroeg lle'r oedd pob Cymro a Sais gyda'u diod".

Gadawodd J.F. y môr a mynd i'r Pentre i gynorthwyo ewythr ac wedi iddo ef briodi a symud bwriodd ati i ffermio. Priododd yntau yn fuan gydag Ellen Thomas(1891-1960). Daeth Anne, mam Ellen, o'r Wern, Pennantlliw, Llanuwchllyn, yn forwyn i Simon Davies yn y ffermdy arall ar fuarth y Pentre. Roedd Anne drwy'i mam Margaret, ei nain Elinor a'i hen daid William yn ddisgynnydd i Thomas Cadwaladr(1741-1829) un o bedwar "Henuriad" - cyn eu galw'n ddiaconiaid ym 1830 – yr Hen Gapel a ofynnodd i'r Dr. George Lewis ddod yn weinidog yno ym 1794. Os oedd yn edmygu'r

Doethor nid felly gyda'i olynydd, Michael Jones(1787-1853), ac ef gyda thri arall oedd yn arwain yr ymgyrch yn ei erbyn yn yr 1820au adeg y ddadl ddiwinyddol fawr a rwygodd yr eglwys am ddegawd. Roedd Thomas Cadwaladr yn frawd i Siôn y Deildre Uchaf, tad Cadwaldr Jones(1783-1867), gweinidog adnabyddus Annibynwyr Dolgellau a'r fro o 1811 i 1867, "Yr Hen Olygydd" fel y'i gelwid, am iddo olygu **Y Dysgedydd** misolyn ei enwad o'r rhifyn cyntaf ym 1821 hyd 1852.

Y mae Llwyd o'r Bryn yn cyfeirio at ddyfodiad J.F. i 'r fro yn ei gyfrol **Y Pethe**(1955), t.162: *"Roedd J.F.Owen wedi disgyn i'n canol o Lerpwl a'r môr, gan fwrw syniadau anorthodocsaidd, a daeth Ellis D.Jones, Talysarn, yn athro i'r ysgol. Bu'r ddau hyn yn flaenllaw iawn ym mywyd yr ardal ac y mae dau mewn dwsin yn gwneud hafoc".*

"Un o ddiddordebau fy nhad oedd y ddrama", meddai Ifor Owen, *"Mi roedd o wedi arfer mynd i'r theatrau yn Lerpwl yn ifanc ac roedd wrth ei fodd yn sôn am y perfformiadau mawr yn yr hen Empire yn y ddinas. Mi fu wedyn yn aelod ffyddlon o gwmni drama'r Sarnau ac ar wahân i actio y fo fyddai'n coluro a pheintio'r setiau. Mi ddilynais innau o yn y maes hwn gan gofio'r hyn a ddysgais wrth ei wylio fo. Mi rydw i'n cofio'r perfformiadau yn y Sarnau a doedd yno ddim trydan na nwy yr adeg honno. Hen duniau bisgedi sgwâr wedi eu llifio yn eu hanner gyda channwyll ym mhob un oedd y ffwtleits ac mi roedd tu mewn gloywon y tuniau yn gweithio fel math o refflector".*

"Roedd nhad yn arlunydd da hefyd. Mi fuasai wedi hoffi mynd am gwrs yng Ngholeg Celfyddyd Lerpwl ond ymateb ei dad oedd, "Be ei di i le felly, rhywbeth i ferched ydi arlunio". Mi fyddai nhad yn arlunio ac yn peintio yn aml ac mi fuodd yn llunio cartwnau'r comic ***Hwyl*** *nes ei fod o bron yn 90 oed, ac yn dylunio cerdyn Nadolig yn flynyddol. Mi fuodd ei ddylanwad yn fawr arnaf i yn y cyfeiriad hwn".*

Mae Ifor Owen yn sôn hefyd am ddylanwad ei fam arno: *"Mam wnaeth ddysgu Hwiangerddi imi a nhw oedd fy nghyflwyniad cyntaf i lenyddiaeth Gymraeg. Roedd O.M.Edwards yn dadlau fod llenyddiaeth cenedl yn dibynnu i raddau mawr ar ei hwiangerddi. Rydw i'n cofio mam yn adrodd "Mae gen i ebol melyn..." i sigl ei gliniau yn y llais melodaidd sy'n nodweddu tafodiaith merched Penllyn. Yn ddiarwybod i mi rhoesant imi gariad at sigl a rhithmau llinell, a chlust at odl swynol".*

"Mi fu dylanwad Bob Lloyd (Llwyd o'r Bryn i bobol ddiarth) yn fawr ar sawl cenhedlaeth ohonom ni blant y Sarnau. Yn y cyfnod hwnnw roedd yne fwy o gymdeithasu yn y cartrefi ac mi fyddai Bob Lloyd yn y cwmni bron bob amser. Mi rydw i byth ers yr amser hwnnw yn gredwr cryf mewn cadw plant, pobl ifanc a hynafgwyr yn un gymdeithas. Heb hynny mae'n amhosib trosglwyddo traddodiad ardal o genhedlaeth i genhedlaeth. Mi sefydlodd Bob Lloyd, gyda chymorth yr ysgolfeistr, Adran yr Urdd yn y Sarnau pan oeddwn i yn ifanc iawn. Ni'r plant oedd i wneud popeth yn y cyfarfodydd, arwain, beirniadu a diddori, ac mi roedd cael ein "taflu i'r dwfn", fel petae gan Bob yn gymwynas amhrisiadwy inni. Pan ddaeth sôn am gael Eisteddfod Genedlaethol gyntaf yr Urdd i Gorwen ym 1929, doedd byw na marw gan Bob Lloyd na fuasem yn cystadlu ar bob peth posibl. Arthur y Siop a Dewi Tai Mawr i adrodd(y Parchn. Arthur Thomas a T.Dewi Jones), y merched i wau a gwnïo, a minnau i ymgeisio ar bob cystadleuaeth arlunio. Actio'r ddrama "Arthur Fawr" hefyd, ac ar goll ar lwyfan y pafiliwn mawr ar ôl arfer ar un bach y Sarnau. Cafodd amryw ohonom wobrau ac mi gefais i bum gwobr gyntaf am arlunio wedi i nhad a Bob Lloyd fy mhwnio i gystadlu. Aeth Bob Lloyd a ni i Steddfod yr Urdd yn Abertawe ym 1931 a phan aem i'r trên ar stesion Corwen gwelsom "Lloyd's Children" mewn llythrennau breision ar ffenest y cerbyd!"

Wrth sôn am gampau Ifor Owen fel arlunydd llwyddiannus, dywed Bob Lloyd ar d.163 **Y Pethe**, *"Byddai ef yn dychwel o eisteddfodau cyntaf yr Urdd yn rubanau a medalau fel ceffyl mewn preimin".*

"Roedd Taid a Nain",meddai Ifor Owen *"rhieni fy nhad yn byw yn Lerpwl ac mi roedd o'n brofiad i ni*

fynd ar y trên o Landdderfel i Woodside, Penbedw, ac yna croesi'r fferi dros y Ferswy i'r Pierhead. Yna'r daith gyda'r trên trydan neu'r tram o'r Exchange i Barc Orrell lle'r oedd Taid a Nain yn byw. Mynd gyda nhw i'r "Moving Pictures" a gyda nhad i weld y darluniau yn y "Walker's Art Gallery", a chlywed ganddo hanes rhai o'r arlunwyr enwog. Roedd darluniau perthynas pell inni yno, sef Buddug Anwylini Pugh (1855-1939).

"Rydw i'n cofio tri pheth yn glir o'm dyddiau yn Ysgol y Sarnau. Cofio'r gwersi arlunio gyda'r prifathro a'i gofio bob pnawn Gwener yn darllen inni, ***Yr Etifedd Coll, Rhwng Rhyfeloedd, Y Llaw Gudd, Hunangofiant Tomi a Nedw.*** *Y trydydd peth a gofiaf oedd cymryd rhan yng nghyngerdd yr ysgol fel "Newyrth Dafydd" a llefaru "Chwi sy'n cofio 'Newyrth Dafydd/Patriarch y Felindre"*

Mae'n sôn hefyd am ddysgu llawer wrth gyrchu i'r ysgol ac i gapel Cefnddwysarn, dysgu am adar a phlanhigion, a dysgu wrth wrando pobol yn trafod a dadlau ynghylch y bregeth. *"Croesi dôl Coed y Bedo a chlywed dwy neu dair rhegen y rug yn canu.. Ie, Coed y Bedo, na wnaeth neb ddweud wrthym i'r bardd gwych Bedo Aeddren fyw yno yn y bymthegfed ganrif, awdur cywyddau serch yn null Dafydd ap Gwilym.. Cafodd sylweddoli'r diffyg hwn yn addysg fy nghyfnod i fel gyda hanes y Crynwyr, Merthyron y Degwm a Merthyron Etholiadau 1859 a 1868, yr awydd ynof yn ddiweddarach i geisio gwneud iawn amdano yn yr ysgolion lle bûm yn brifathro ac mewn darlithoedd i oedolion."*

Ym 1927 symudodd Ifor Owen o Ysgol y Sarnau i Ysgol Tŷ Tan Domen a sefydlwyd tua 1712, a chael cwmni rhai ddaeth yn gyfeillion oes, Arthur D. Jones, John Lewis Jones, R.J.Rowlands, Tecwyn Ellis ac E.Meirion Roberts.

"Er nad oedd Ellis Evans yr athro arlunio yn arlunydd ei hun mi wthiodd ni i weithio a mynnodd fod Meirion a minnau yn sefyll arholiadau y "Royal Drawing Society". Cawsom chwe thystysgrif anrhydedd yr un ac er na wnaeth hyn mohonon ni yn arlunwyr dysgodd ni i ddylunio'n weddol grefftus".

Mae'n hael ei glod hefyd i'r athro Saesneg Goronwy Owen *"a lwyddodd i wneud y gwersi ar y llyfrau gosod yn hyfrydwch pur"*. Wrth *"ddiolch i Goronwy Owen am ddeffro ynom rywbeth na ddiffoddir byth"*, mae'n ychwanegu: *"Mae'n ddrwg gen i ddweud mai ar wahân i Telyn y Dydd, wedi gadael ysgol a choleg y deuthum i wybod am feirdd mawr y cywyddau a mwynhau eu gwaith. Dyna faint diffygion addysg Gymraeg i hogyn o ardal drwyadl Gymraeg yn fy nyddiau i. Diolch fyth mae pethau'n llawer gwell bellach".*

Daethai Mary Foulk nain Ifor Owen i Lerpwl tua 1877 yn ddeuddeg oed i fod yn nyrs i blant teulu o'r enw Taylor a bu yno hyd nes iddi briodi. Ym 1931 ar wahoddiad un o blant y teulu, C.R.Taylor a oedd wedi casglu cryn gyfoeth fel masnachwr cotwm, gadawodd J.F.,Ellen ei wraig, Beryl, Gwynn ac Edna, y Pentre, a mynd i amaethu fferm hanner can acer Brook Hall, Tattenhall, saith milltir o Gaer, a brynwyd gan Taylor. Arhosodd Ifor Owen gyda'i nain yn y Pentre hyd nes iddo symud o Ysgol Tŷ Tan Domen i'r Coleg Normal, Bangor, ym 1933. Byddai'n beicio at y teulu brynhawn Gwener ac yn dychwelyd brynhawn Sul a dywed,

"Y peth a'm tarawodd fwyaf ar ôl cymdeithas ddi-ddosbarth Cefnddwysarn oedd sylweddoli fod cymdeithas Tattenhall yn parhau yn ffiwdal. Roedd hi bron yn amhosibl i was fferm ddod yn ffermwr ei hun. Mi geisiodd mam droeon berswadio'r gwas ddod at y bwrdd i fwyta gyda ni, ond na, mynnai fwyta ei docyn yn y sgubor. Roedd nhad a mam yn aelodau o gapel Cymraeg Sant Ioan y Methodistiaid yng Nghaer, a bu'r gymdeithas Gymraeg yno, a Chymdeithas Cymry Caer yn gysur mawr iddynt.

"Pan oedd Cymdeithas Cymry Caer ar wibdaith yng nghastell y ddinas y cyfarfyddais â'r ferch a ddaeth yn wraig imi. Mi roedd y Gymdeithas yn ymweld â'r celloedd lle dywed traddodiad i Gruffydd ap Cynan gael ei garcharu, a bûm yn tynnu coes Winnie mai yn y 'carchar' y gwelais hi am y tro cyntaf!".

Y ddau gariad, Ifor Owen a Winnie Jones

Winnie (Catherine Winfired- yr ail enw ar ôl mam ei mam) oedd cyntaf-anedig Annie(1895-1974) a Thomas O. Jones (1895-1960) ac yn ddiweddarach ganed Megan a David. Maged y rhieni yng Nghlawddnewydd, Dyffryn Clwyd, ac yr oedd hen daid Winnie, Richard Humphrey Morris(1846-1925) o Nantgwynant a fu'n byw wedyn yn Llanrwst, Clawddnewydd, Derwen a'r Parc Bontuchel, yn gryn gymeriad ac yn cael ei adnabod fel "Yr Hen Law". Priododd ag Ann, Cwmcloch Uchaf, Beddgelert a brawd iddi oedd William Ellis Williams a ymfudodd i Batagonia. Gor-wyres iddo ef a Mary ei wraig oedd bardd enwoca'r Wladfa, Irma Hughes de Jones(1918-2003), a bu Winnie a hithau'n sgrifennu at ei gilydd gydol y blynyddoedd. Roedd "Yr Hen Law" yn gefnder i Elizabeth mam y bardd Wil Oerddwr, ac i Ann mam T.H.Parry-Williams, a gydag ef y lletyai Syr Thomas adeg Eisteddfodau Cenedlaethol Wrecsam 1912 a Bangor 1915 pan wnaeth y dwbl- dwbl - ennill y goron a'r gadair. Mae'n cyfeirio at hynny yn ei ysgrif "Congrinero", yn ei gyfrol **Myfyrdodau** (1957), ac wrth iddo ymadael ar ei feic am Ryd-ddu ddiwedd wythnos steddfod 1912, *"Meddai fy hen ewythr wrth i mi gychwyn, "Wel, 'machgen i, Gras sy arnat ti eisiau 'rŵan, Gras". Gras rhag i'm pen chwyddo a oedd ym meddwl yr hen begor, ond nid oedd angen iddo ofni"*. Er nad yw'n croniclo hynny dywedir fod "Yr Hen Law" wedi dweud wrtho ar ôl deall iddo gael cryn dipyn o arian gyda'r goron a'r gadair: *"A meddwl dy fod wedi cael y fath arian am eistedd ar dy ben ôl yn sgrifennu!"*

"Bu'r ymfudo i Tattenhall yn werth chweil pe dim ond am y ffaith imi gyfarfod â Winnie. Bu'n ddylanwad mawr arnaf ym mhob cyfeiriad yn enwedig wrth ddofi ychydig ar ysbryd gwyllt a gwrthryfelgar y Ffowciaid pan oedd tuedd i hwnnw ferwi drosodd!"

Roedd y ddau'n canmol safiad dewr eu gweinidog yng Nghaer, y Dr. Gruffydd Hughes a fu yno o 1917 hyd 1950, yn mynnu fod pawb yn siarad Cymraeg er bod rhai'n cwyno a rhai'n symud i gapeli Saesneg. Gruffydd Hughes fedyddiodd Winne a phriodi Ifor a hithau ym 1945. Dylanwad pwysig arall ar Gymreictod yr ifanc oedd Aelwyd yr Urdd ac wrth drafod Aelwyd Caer yn ei gyfrol gyntaf o hanes **Urdd Gobaith Cymru**(1971) , dywed R.E.Griffith ar d.360: *"Bu yma gwmni selog o arweinwyr a chynorthwywyr, ac erys un hynafgwr – Mr. John F.Owen – sy'n cofio'r cychwyn ac sy'n dal yn selog ei gefnogaeth er ei fod dros ei bedwar ugain oed erbyn hyn. Merch iddo, Beryl, oedd ein trefnydd ym Meirionnydd yn y cyfnod hwn, a bu merch arall iddo, Edna, yn ysgrifennydd i'r Aelwyd am gyfnod maith. Pan gofir mai eu brawd yw Ifor Owen, Llanuwchllyn, sylweddolir maint a gwerth cyfraniad y teulu hwn i fywyd yr Urdd".*

Fel y dywedwyd bu Ifor Owen yn fyfyriwr yn y Coleg Normal o 1933 i 1936 a bu cael cwmni'i gyfaill Mordaf Morris o Lanuwchllyn yn gysur iddo yn yr awyrgylch Saesneg. Bu'r ddau a chyfaill o Lerpwl yn dringo llawer ar fynyddoedd Eryri a'r Tryfan a'r Carneddau oedd yr hoff gyrchfannau. Dau athro a gafodd gryn ddylanwad arno oedd y Sgotyn Miller a ddangosodd iddo fod mwy i gelfyddyd na chopïo gwrthrychau'n slafaidd, ac Ambrose Bebb a'i ddarlithoedd ar Hanes Cymru yn gwneud cenedlaetholwr ohono. Yr unig swydd y cafodd Ifor Owen ei chynnig ar derfyn ei gwrs coleg oedd un athro mewn ysgol yn Clacton on Sea, ond cyn cytuno i fynd yno fe'i penodwyd yn Brifathro Ysgol Croesor yn un ar hugain oed gan dreulio deuddeg mlynedd hapus dros ben yno.

"Doeddwn i ddim wedi cyfarfod Bob Owen cyn i mi fynd i Groesor er fy mod wedi clywed llawer amdano a meddwl ei fod yn ŵr solet, pen moel. Dychmygwch fy syndod pan gurais ar ddrws Ael-y-Bryn, a gŵr bychan ysgafn, ei wallt yn hir, ei aeliau dros ei lygaid, a'i fwstas heb ei drimio, yn ateb y drws a'm gwahodd i mewn! Yn y pasej hir o'r drws ffrynt i'r gegin mi gefais ddarlith ar Gefnddwysarn, Pentre Tai'n y Cwm, a'r Crynwyr yn un cenllif o eiriau. Mi gefais lawer iawn o addysg a hwyl yn ei gwmni ac mi agorodd feysydd imi na wyddwn ddim amdanynt, ac na chlywais sôn amdanynt drwy gydol fy nghwrs addysg. Roedd gan Bob Owen lyfrgell ardderchog ac mi blannodd ynof innau y chwiw casglu llyfrau! Mi ges i aml gyfrol werthfawr ganddo, ac mi fyddai'n ysgrifennu cyflwyniad arbennig y tu mewn i'r clawr, a dyma un: ***Rhieingerddi'r Gogynfeirdd*** *gan T. Gwynn Jones: " 'Bob Owen, Croesor, Penrhyndeudraeth a'i anrhegodd i Ifor Owen Ysgolfeistr Croesor bore Llun, Mawrth 26, 1945, mewn pum niwrnod i'r adeg honno y bydd pob ffŵl yn edifaru ei weled', sef pum niwrnod cyn imi briodi Winnie!".*

Drwy'i gyfeillgarwch â Bob Owen daeth Ifor Owen i adnabod Carneddog a Chatrin, Ioan Brothen, gweithiwr ffordd diwylliedig, englynwr a naturiaethwr da, y gweinidogion a'r heddychwyr, George M. Ll. Davies, Tom Nefyn Williams a J.P.Davies. A gan fod gan y llenor enwog Richard Hughes dŷ yng Nghroesor gwahoddodd yr ysgolfeistr i'w gartre i loywi ei Gymraeg. Byddai'r llenor yn mynd i wrando ar Gwynfor Evans pan fyddai'n annerch yn yr ardal. Er mai ef oedd y prifathro fe ddysgodd lawer iawn gan drigolion Croesor am y chwareli llechi a thraddodiadau'r fro. Pan fu raid cau'r ysgol am dair wythnos oherwydd y frech goch daeth cais i Ifor Owen gan D.J.Williams, Llanbedr (Llandderfel cyn hynny) i baratoi lluniau ar gyfer ei lyfrau i blant, "Cyfres Chwedl a Chân". A gan mai E.Prosser Rhys yng Ngwasg Aberystwyth oedd yn cyhoeddi llyfrau D.J. gofynnodd i Ifor gyfrannu lluniau a siacedi llwch i lyfrau eraill.

Priodas Ifor a Winnie ar 31 Mawrth, 1945

"Yn ystod fy nghyfnod yng Nghroesor y llosgwyd yr Ysgol Fomio ym Mhenyberth. Mi roeddwn i ar Faes Pwllheli pan geisiodd yr ychydig meddw darfu ar y cyfarfod protest mawr, ac yr oeddwn yn un o'r miloedd a heidiodd i hen Bafiliwn Caernarfon i groesawu'r Tri yn ôl o garchar".

O gofio fod ei rieni yn mynychu Ysgol Haf Plaid Cymru yn flynyddol roedd yn naturiol i Ifor Owen fod yn gefnogwr brwd i'r Blaid a'i hamcanion.

Bu Ifor Owen yn weithgar ym mywyd cymuned Croesor ac yn athro Ysgol Sul rhagorol yn ôl un o'r plant oedd yn y dosbarth ac yn yr ysgol, Edgar Parry Williams. Roedd y plant yn gwybod fod Ifor yn mynd i Gaer i weld Winnie ar brynhawn Gwener am fod y beic modur yn barod at y siwrne. Daeth hynny i ben pan briodwyd y ddau ar 31 Mawrth, 1945 a'r flwyddyn wedyn ganed Gareth sy'n rhannu'r un pen-blwydd â'i dad.

Ym 1948 symudodd y teulu i Wyddelwern a bu Ifor yn brifathro yno am chwe blynedd gan fod yn weithgar fel yng Nghroesor. *"Pan euthum i mewn i'r ysgol y diwrnod cyntaf mi welais lun enfawr o'r Frenhines Victoria ar y wal uwchben y lle tân . Fuodd o ddim yno'n hir!".* Gwahoddwyd ef i lunio a chynhyrchu pasiant mawr ar Hanes Crefydd yn Edeirnion a gyflwynwyd ym Mhafiliwn Corwen. Lluniodd basiantau eraill yn ddiweddarach, "I'r Holl Fyd", ar gyfer plant Ysgolion Sul Penllyn adeg dathlu Seithfed Jiwbilî Cymdeithas y Beibl,1979, a "Dyma Feibl", y Pasiant Plant yn Eisteddfod Genedlaethol Caernarfon yr un flwyddyn. Yng Ngwyddelwern hefyd y ffurfiodd gwmni drama am y tro cyntaf a bu'i brentisiaeth gyda'i dad a Chwmni'r Sarnau o gryn gymorth iddo. Yng Ngwyddelwern y ganed Dyfir a Meilir.

Symud i fro'i hynafiaid a wnaeth Ifor Owen pan ddaeth yn brifathro i Lanuwchllyn ym 1954.

"Wedi bron flwyddyn yn yr hen ysgol yn y Pandy symudwyd i ysgol newydd sbon yn y Llan, ac wrth gwrs roedd yn rhaid ei galw yn Ysgol O.M.Edwards. Yn wir tra bûm i yno yn brifathro teimlwn fod O.M. yn edrych dros fy ysgwydd drwy gydol yr amser. Am y chwe blynedd gyntaf buom fel teulu yn byw yn yr Hen Dŷ'r Ysgol lle bu yr O.M. ieuanc yn gwisgo'r "Welsh Not". Yna symud i'r Gwyndy, rhan o'r Neuadd Wen, y tŷ a gododd O.M. pan wnaed ef yn Brif Arolygydd Ysgolion Cymru. Roedd syniadau O.M. am addysg ymhell o flaen ei oes, ac yn aml yn hollol annerbyniol ac annealladwy i'w gyd addysgwyr. Mi roedd ei syniadau yn dderbyniol iawn gen i a gan holl athrawon yr ysgol. Nid dyn llyfr a llenyddiaeth a hanes yn unig oedd O.M.. Mi roedd o'n pwysleisio byth a beunydd bwysigrwydd dysgu Celfyddyd a Chrefft. Byddai gwaith llaw yn hollbwysig i feddygon, peirianwyr a chrefftwyr y dyfodol a mantais fawr fyddai cynnwys testunau fel arlunio, cerddoriaeth ac ymarfer corff i sicrhau datblygiad llawn y plentyn.
Wrth gwrs credai O.M. y dylai'r dysgu ddigwydd drwy'r Gymraeg, fel y medrai'r plant ddatblygu i gymryd rhan weithgar ym mywyd eu hardaloedd. Does ryfedd ei fod yn edrych dros fy ysgwydd i'm hannog i wneud fy ngorau i weithredu yn ôl ei ddymuniad. Gobeithio na wnes i mo'i siomi!"

Nid siomi O.M. a wnaeth Ifor Owen ond ei efelychu a pharhau'r gwaith a gychwynnodd ef. Dyna pam fod cenedlaethau o blant Ysgol O.M. Edwards yn canmol yr addysg gyflawn a gawsant gan y prifathro a phawb oedd yn gweithio gydag ef, megis Miss E.V. James a ymddeolodd ym 1974 ar ôl gwasanaethu am 37 o flynyddoedd. A doedd dim yn rhoi mwy o fodlonrwydd i Ifor Owen na gweld fod y rhai fu wrthi ar ôl ei gyfnod ef , Twm Prys Jones ac Ifan Alun Puw a'r athrawon eraill yn meddu'r un weledigaeth ac yn hybu'r un gwerthoedd.
Pan ymddeolodd ym 1976 ef oedd y trydydd prifathro a fu yn Llanuwchllyn er 1890. Y flwyddyn ar ôl iddo ymddeol anrhydeddwyd ef â Medal Syr Thomas Parry-Williams yn Eisteddfod Genedlaethol Wrecsam, am ei gyfraniad goludog i fywyd diwylliannol Penllyn, Meirionnydd a Chymru ac yn y gerdd a luniodd ei gyfaill Gerallt Jones i'w gyfarch mae cyfeiriad at ei waith fel prifathro:

Bathodyn cyntaf Ysgol O.M. Edwards

Â'th law gain, a'th luniau'n goeth
Gafael a wnest ar gyfoeth
Penllyn, man gwyn, man geni
Di-ail nwyd ein cenedl ni;
Gafael i'r plantos gofio
Eu tras gwydn, nad êl tros go.

Rhoist i'n plant eu llên antur,
Gwâr ar fwrdd dy liwgar fur:
Lluniau yn dablau llonydd,
Llawn o ddawn rhyw gynnar ddydd;

Tydi yw gwalch eu balchder
A nawdd hael eu newydd her.

Roedd Ifor Owen yn dweud yn aml ei fod wedi cael cyfle i ymddiddori yn ei holl ddiddordebau mewn ardal sy'n byrlymu o hanes ac ardal y ceir cofnod am gyfraniad 37 o'i meibion yn Weinidogion, Beirdd, Llenorion, Amaethwyr, Crefftwyr a Pheirianwyr, yn **Y Bywgraffiadur Cymreig Hyd 1940**. Gellir ychwanegu at y rhestr erbyn heddiw.

Pan gynhaliodd yr Urdd Ŵyl Ddrama Meirion yn y Bala, 21-25 Ebrill, 1987, trefnwyd arddangosfa gynhwysfawr o waith Ifor Owen fel rhan o'r Ŵyl gan ganolbwyntio ar ei gyfraniad i fyd celf, byd y ddrama a golygu **Hwyl**. Y bwriad oedd *"cyflwyno bwrlwm ac afiaith y gŵr hynaws o'r Gwyndy"*. Ei gyfaill oes, yr arlunydd E. Meirion Roberts agorodd yr arddangosfa. Gofynnwyd i mi lunio taflen yn adrodd hanes Ifor a'r enw a roddais arni oedd "Ifor Owen, Cymwynaswr Bro a Chenedl". Dyna'r geiriau a welir o dan y cerflun ohono yng nghyntedd y Neuadd Bentref o waith John Meirion Morris a ddadorchuddiwyd ar 3 Hydref 2008 gan un o ddisgyblion disglair Ifor, Alun Ffred Jones, Gweinidog Diwylliant a Threftadaeth ein Cynulliad Cenedlaethol. O gofio am ei lafur mawr ymhlith plant a phobl ifanc roedd yn gwbl briodol mai iddo ef y cyflwynwyd Tlws Mary Vaughan Jones am y tro cyntaf, yn Nhachwedd 1985 am iddo gyfrannu cymaint i lenyddiaeth plant. Cydnabu Prifysgol Cymru ei gyfraniad nodedig i ddiwylliant bro a chenedl drwy ddyfarnu iddo M.A. Er Anrhydedd ym 1997.

Fel yng Nghroesor a Gwyddelwern bu Ifor Owen yn ddiwyd yn gwasanaethu'r gymuned yn Llanuwchllyn a Phenllyn gan fod yn amlwg gyda phob gweithgarwch.

Y tu allan i'r ardal bu Cyngor Amgueddfa Genedlaethol Cymru ar ei ennill o gael Ifor yn aelod am flynyddoedd. Yr un modd yr Eisteddfod Genedlaethol lle gwasanaethodd fel aelod a chadeirydd y Pwyllgor Celf am gyfnod hir. Mudiad arall a elwodd ar ei wasanaeth oedd Cymdeithas Cynghorau Bro a Thref Cymru, yn ysgrifennydd ym Meirionnydd, ac yn amlwg ar y pwyllgor gwaith cenedlaethol lle bu'n cydweithio gydag Isgoed Williams, Trawsfynydd. Bu'n weithgar hefyd gyda Chymdeithas Hanes a Chofnodion Meirionnydd, yn cynrychioli Penllyn ar y pwyllgor ac yn darlithio droeon i'r Gymdeithas. Ag yntau'n hanesydd mor ddisglair mae'n dda fod Gwasg Carreg Gwalch wedi'i wahodd i lunio'r gyfrol **Penllyn** erbyn Eisteddfod Genedlaethol 1997 yn y Bala. Gadawodd ddigon o ddarlithoedd a nodiadau ar ei ôl i roi inni gyfrol helaethach. Ni ddylid anghofio'i gyfraniadau gwerthfawr i'r papur bro, **Pethe Penllyn**, ac iddo fod yn aelod o dimau Talwrn ac Ymryson y Beirdd Llanuwchllyn.

Bu Ifor a Winne yng nghwmni'u cyfeillion Gerallt a Cis Jones yn aelodau selog o Gymdeithas Carafanwyr Cymru, ac ef fu'n golygu cylchgrawn y Gymdeithas, Y Nomad, am flynyddoedd. Cyflwynodd Ifor ei gyfrol **Penllyn** *"I gofio Winnie 1920 -91 a'r teithiau difyr a gawsom am flynyddoedd"*, llawer o'r teithiau yn eu carafan, "Hafod Olwyn". Daeth y teithio i ben pan drawyd Winnie yn wael gan afiechyd blin y Motor Neurone ac yn ystod blynyddoedd anodd ei salwch roeddem yn edmygu'r modd y gofalodd Ifor amdani. Roedd yn ffodus o gael cymorth Gareth, Dyfir a Meilir a bu cwmni'r wyrion a'r wyresau, Elin, y diweddar Haf, Prys; Owain, Mari, Dyfrig; a Rhys, Bryn a Iolo, yn gysur parod. Pan fu farw Ifor ar 22 Mai, 2007, roedd ganddo hefyd chwech o or-wyrion. Wedi symud o'r Gwyndy ymgartrefodd yn Bronant yn ystod ei flynyddoedd olaf. Yn y cyfarfod o ddiolch i Ifor am ei wasanaeth yn y Neuadd Bentref ar 15 Gorffennaf, 1976, adeg ei ymddeoliad, fe'i cyferchais mewn Salm o Foliant. Dyma ran ohoni:

Canmolwn yn awr ein Prifathro, y gwrda sydd mor annwyl yn ein golwg.
Llawer o fendithion a ddaeth inni drwyddo, a'i lu cymwynasau i'n bro sy'n hysbys...
Cyfrannodd o'i drysorau i Ysgol ac Aelwyd a Neuadd a blaenorodd gyda gwaith y cysegr lle gwelsom yr addysgwr yn troi'n addolwr llawen...
Cyfrannodd yn hael inni o'i ddysg ac o'i ddawn a gwarchododd "Y Pethe" rhag eu sathru dan draed gan y Phillistiaid.
Cyfoethogodd ni drwy ei gyfeillgarwch ac elwodd llawer ohonom wrth seiadu yn Y Gwyndy yng nghwmni Ifor a Winnie.
Cyfarchwn ef am wrteithio'r etifeddiaeth ac am sefyll yn y bwlch i "gadw i'r oesoedd a ddêl y glendid a fu".
Y plant a'r ieuenctid a fynega eu dyled iddo ac unwn ninnau i ganu ei glod.

Rhown y gair olaf i Gerallt Jones wrth ddyfynnu'r englyn sy'n cloi "Mawl i'r Bonwr Ifor Owen, Gwyndy, Llanuwchllyn, gŵr anrhydedd Medal Syr Thomas Parry-Williams, Prifwyl Wrecsam 1977":

Ti yw rhaith dy gymdeithas, - yn llywydd
A llawen oreuwas;
Llyw addfwyn ei gymwynas,
Bendefig dy drig a'th dras.

W J Edwards

Diwrnod derbyn ei radd MA er anrhydedd gyda Robin H Williams a Iolo Wyn Williams ym 1997

Atgofion am Ifor Owen yng Nghroesor

Ar y cyntaf o Ebrill 1936, yn un ar hugain oed, y dechreuodd Ifor Owen ar swydd prifathro Ysgol Croesor. Ddau ddiwrnod ynghynt daeth ei fam i'w ddanfon i'w lety yn nhŷ Laura Parry, Brynhyfryd, ac i gael gweld yr ysgol a'r pentref. Safodd y ddau o flaen yr ysgol i siarad hefo dwy o'r trigolion ac yn fuan yr oedd nifer o'r pentrefwyr wedi ymgynnull i gael golwg ar yr athro newydd. Manteisiodd ei fam ar ei chyfle i siarsio pawb i fod yn garedig wrth Ifor, a'u sicrhau y byddai'n siŵr o wneud ei orau iddynt. Dros y deuddeng mlynedd y bu Ifor Owen yng Nghroesor fe wireddwyd geiriau ei fam. Chafodd neb ddim achos i beidio bod yn garedig wrth Ifor Owen a chafodd yr un pentref athro mwy ymroddedig a dawnus. Yn sicr roedd doniau yr athro ifanc fel arlunydd, bardd a llenor yn fanteisiol iawn i'w ddisgyblion.

Toriad leino – Croesor a Moel Ddu

Ifor Owen, Nel Owen a Winnie Owen

Byddai'n ein cymell a'n hyfforddi i gystadlu mewn eisteddfodau ac yn arbennig yn y Cyfarfod Bach, a gynhelid bedair gwaith yn nhymor y gaeaf. Gofalai ein bod yn gwybod am hanes a llên Cymru, ei harwyr a'i henwogion. Trefnai, gyda chefnogaeth frwd Bob Owen, Croesor, i ni gael ymweld â chartrefi enwogion yr ardal.

Cofiaf iddo ein harwain ar daith gerdded i Carneddi ar bnawn crasboeth a Carneddog yn sefyll ar ganol y buarth i enwi'r bryniau a'r mynyddoedd o'n cwmpas. Cyn i ni ymadael daeth Catrin garedig a llond piser o laeth enwyn a phowlen i dorri ein syched. Teithiau addysgiadol iawn i ni fyddai'r teithiau drwy Gwm Croesor i'n dysgu i sylwi ar ryfeddodau natur yn ein cynefin lliwgar.

Cofir yn dda am daith a arweiniodd ddechrau haf i lawr drwy Geunant Parc. Pan sylwodd geneth lygadog ar neidr fawr yn dorch ger gwely'r afon, rhybuddiwyd y plant i gadw draw nes i'r athro sicrhau mai neidr laswellt ddiberygl oedd hi. Gan fod y neidr swrth mor enfawr penderfynodd yr athro ei chario yn ei freichiau i'r pentref i ddangos y "rhyfeddod prin" i Bob Owen. Pan gyrhaeddodd y fintai at ddrws cefn ei gartref daeth Bob Owen i'r drws a tharo un golwg wyllt ar y neidr fawr cyn gweiddi nerth esgyrn ei ben, "Be haru chi ddyn gwirion yn dysgu'r plant chwarae hefo nadroedd, ewch â hi ddigon pell o'm golwg gynta medrwch chi." Ofer i Ifor Owen oedd ceisio egluro nad oedd y neidr laswellt yn wenwynig, a rhag i'r plant gael rhagor o gyfle i fwynhau clywed yr athro yn cael cerydd cariodd y neidr ar draws y caeau a'i gollwng "yn ddigon pell o olwg Bob Owen"!

Yn ystod yr ail ryfel byd anfonwyd ifaciwis o enbydrwydd y bomio yn Birkenhead i dawelwch Cwm Croesor dan ofal dwy athrawes, Miss Foulks a Miss Blythe. Buan y bedyddiwyd y ddwy yn Miss Fox a Miss Blaidd gan blant Croesor a theg yw dweud mai'r Blaidd oedd y fwyaf ffyrnig!

Neilltuwyd y Saeson i un rhan o'r ysgol ond byddai'r plant yn cyd-chwarae ar yr iard. Cystal i mi gyfaddef fy mod un amser chwarae yn cael hwyl ar rigymu rhywbeth am gynffon Miss Fox a dannedd Miss Blaidd a'r plant yn chwerthin a chymeradwyo. Clywodd Miss Blythe y miri a llusgwyd fi i'w dosbarth a'm gosod i sefyll ar un goes mewn cornel. 'Roeddwn yn dechrau simsanu pan ddaeth Ifor Owen i mewn a dweud wrthyf am fynd i'm dosbarth yn ddiymdroi a bihafio fy hun. Pan ddechreuodd Miss Blythe ddangos ei dannedd dywedodd Ifor Owen wrthi nad oedd y gosb o sefyll ar ungoes yn cael ei defnyddio yn ysgol Croesor. Pa ryfedd ei fod yn gymaint o arwr gan ei ddisgyblion!

Yn sicr mi allaf dystio ein bod i gyd yn cofio yn ddiolchgar am ei wasanaeth gwerthfawr ac am gael ei adnabod ef a Winnie Owen, ei wraig addfwyn, yng Nghwm Croesor.

Edgar Parri Williams

Ysgythriad sgraffwrdd – Y Cnicht

Dyddiau Gwyddelwern

Roedd 1948 yn ddiwedd cyfnod yng Ngwyddelwern, Lewis Davies, yr unig brifathro a gofiaf fi yn yr ysgol gynradd yn ymddeol, ac un newydd - rhyw Ifor Owen, na chlywswn erioed amdano cyn ei ddyfod, - yn ei olynu. Na, dydi hynny ddim yn berffaith gywir chwaith, gan imi glywed y cynghorydd lleol yn dweud wrth fy nhad fod yna ddwy farn am y prifathro newydd, rhai yn dweud ei fod yn foi da, eraill yn datgan nad oedd o ddim am ei fod yn wrthwynebwr cydwybodol, er nad dyna'r union eiriau ddefnyddiodd o.

Pan ddaeth, fe ganfuwyd yn fuan iawn fod rhan gynta geiriau'r cynghorydd yn gywir, a'r gweddill yn fwy o feirniadaeth arno fo'i hun nag ar Ifor Owen, ac yn adlewyrchu agwedd gul imperialaidd Seisnig y cyfnod, er mai Cymro Cymraeg oedd o. Roedd Ifor Owen yn foi da 'ffwl stop'!

Yn fuan iawn roedd o wedi dangos ei ruddin, diflannodd y llun brenhinol, Victoria os cofiaf yn iawn, oddi ar fur yr ysgol, roedd o'n gapelwr selog ac yn athro ysgol Sul arnon ni griw ifanc hunandybus, yn brysur efo'r Urdd a'r Ffermwyr Ifanc a chymdeithas y capel ac yn cynhyrchu dramâu, a hynny oll yn ychwanegol at ei waith bob dydd ac yng nghyfnod prysur magu tri o blant. Ond fe gafodd, yn Winnie ei wraig, y cydymaith perffaith yn gwmni i gyd gerdded taith bywyd.

Er i fwyafrif y blynyddoedd y bu yng Ngwyddelwern gyd fynd â'm blynyddoedd i yn y coleg, fe ddeuthum i'w adnabod yn ddigon da i wybod sut un oedd o. Roedd o'n athro Ysgol Sul tan gamp, yn ddoeth a charedig a llawn hiwmor, yn ein deall i'r dim ac yn gadael i ni ymestyn ein hadenydd i ddangos ein bod yn gallu hedfan. Byddai'n arwain trwy esiampl gan roi chwe cheiniog neu swllt yn y casgliad bob Sul tra bydden ninnau, griw mawr ohonom, heb ddim neu efo'n ceiniogau. Buan y chwyddodd y casgliad, a ninnau, heb yn wybod bron, yn dyblu neu dreblu'n cyfraniad.

Roedd o yn genedlaetholwr digyfaddawd, yn benderfynol, styfnig hyd yn oed, a byth yn colli cyfle i chwifio'r faner, a hynny yn aml yn erbyn gwrthwynebiad chwyrn rhai o'r Rhyddfrydwyr tanbaid oedd yn ffermio yn y fro, a'r Llafurwyr uchel eu cloch oedd yn gweithio yn y chwareli – Craig Lelo a Chraig Wernddu. Fe wnaeth ddirfawr les a chlywais ddweud bod bocs pleidleisio Gwyddelwern yn un o'r rhai gorau i Blaid Cymru yn ystod y pum degau. Ond doedd o byth yn dal dig, a fyddai'r anghytuno tanbaid cyhoeddus byth yn treiddio i berthynas bersonol. Cofiaf ef yn dadlau'n chwyrn efo prifathro arall mewn cyfarfod lecsiwn, un oedd yn siarad dros y Blaid Lafur, yn dadlau bron at daro gallech dybio. A ble oedd y prifathro hwnnw'n mynd am baned ar ddiwedd y cyfarfod? I Dŷ'r Ysgol!

Chefais i fawr o gyfle i elwa ar ei ddawn fel cynhyrchydd dramâu gan nad oeddwn adref ryw lawer yn ystod ei deyrnasiad o yn y fro, ond fe fûm unwaith mewn cynhyrchiad o'i eiddo yn yr Eisteddfod Genedlaethol yn Nolgellau yn 1949, pan oeddwn i'n dal yn yr ysgol. Cystadleuaeth ar gyfer ieuenctid oedd hi ac fe ysgrifennodd ddrama am deulu o Grynwyr yn gorfod gadael eu cartref ac encilio i'r Amerig oherwydd yr erlid arnynt. Teulu'r Foty Lwyd oedden nhw ac roedd y ddrama'n darlunio'r wraig yn crwydro o gwmpas ei hen gartre a'r dodrefn i gyd yn siarad efo hi. Un o leisiau'r dodrefn oeddwn i wedi fy nghuddio y tu ôl i lenni trwchus i adrodd fy rhan. Ail gawson ni ac mae gen i frith go am Gwilym Ceiriog yn ŵr y tŷ ac yn gwisgo het gantel lydan yn ôl ffasiwn y cyfnod, a Gwenfyl Bryn Du fel y wraig yn crwydro'n ddagreuol o gwmpas y gegin. Rydw i'n cofio hefyd i un o'r lleisiau lyncu ei boer wrth adrodd ei ran, ac mae'n sicr mai criw hynod o amrwd ein doniau oedden ni. Ond roedd Ifor Owen yn hynaws drwy'r amser, ac yn rhoi inni hyder i berfformio, a chanmoliaeth nad oedden ni wir yn ei haeddu.

Elfyn Pritchard

PYTIAU O LYFR LOG GWYDDELWERN*

COFNODION IFOR OWEN

* ZA/14/104 yn Archifdy Dolgellau

1948

25 Mai – Heddiw dechreuais i, Ivor Owen, ar fy ngwaith fel Prifathro'r ysgol hon fel olynydd i Mr Lewis Davies sydd wedi ymddeol. Yr oedd nifer dda o'r plant yn bresennol a golwg iach a siriol arnynt oll. Deuthum yma wedi treulio deuddeng mlynedd fel prifathro yn Ysgol Croesor.

28 Mai - Rhif yr ysgolheigion – 40
Cyfartaledd presenoldeb 95.3%

5 Mehefin – Caf y plant yn ufudd ac yn siriol. Sylwaf bod adeiladau'r ysgol oddi mewn ac allan mewn cryn angen am eu peintio. Y mae'r paent mewn llawer lle wedi diflannu'n llwyr.

29 Hydref – Heddiw gadawodd Miss Roberts athrawes y babanod yr ysgol ar ôl 25 mlynedd o wasanaeth. Trist iawn oedd ei gweld yn gadael. Rhoddodd wasanaeth cydwybodol a gwerthfawr a bu'n fawr ei pharch gan blant a thrigolion yr ardal hon trwy gydol yr amser y bu yma.

1 Tachwedd - Heddiw dechreuodd Miss Evelyn Hughes ar ei gwaith fel athrawes y babanod gyda'r plant ieuaf (juniors). Mynegodd y buasai'n well ganddi'r babanod na'r juniors a chaniatawyd ei chais ar ymddiswyddiad Miss Roberts.

15 Tachwedd – Dechreuodd Gomer Roberts yma ar ei waith fel athraw gyda'r juniors. Y mae'n athro trwyddedig o'r Coleg Normal Bangor ac yn frodor o Abergeirw.

22 Tachwedd – Y mae Gomer Roberts yn ymddangos yn cartrefu'n iawn yma. Gall gael ei alw i fyny i'r fyddin unrhyw ddydd – gwaetha'r modd.

3 Rhagfyr - Bu i Gomer Roberts, athraw'r juniors adael yr ysgol heddiw oherwydd ei alw i ymuno â'r fyddin. Bu'n llwyddiannus iawn tra yma a'r plant yn hoff iawn ohono.

6 Rhagfyr – Dau athro sydd yma'n awr. A rhannwyd dosb. Gomer Roberts rhwng Miss Hughes a minnau. Y mae prinder athrawon er y cefais sicrwydd o'r Swyddfa Addysg eu bod yn gwneuthur eu gorau i sicrhau athro inni.

1949

4 Ionawr – Ailagorwyd yr ysgol wedi Gwyliau'r Nadolig a dechreuodd George Lewis Edwards o Landderfel ar ei waith fel athro gyda'r juniors. Y mae George Edwards yn aros am gael myned i'r Coleg yr haf nesaf ac felly yn debyg o aros yma am beth amser.

21 Ionawr – Y mae George Edwards wedi cartrefu'n dda yn yr ysgol ac yn athraw ieuanc addawol iawn. Y mae wedi cael peth profiad yn ysgol Corwen.

1 Mawrth - Ni chaewyd yr ysgol i ddathlu Gŵyl Dewi eleni ond cafwyd sôn am Dewi a'i neges i blant Cymru heddiw yn yr Ysgol.

18 Mawrth – Dymunaf yma ddatgan ar gof a

Ifor Owen, George Davies ac Evelyn Hughes tu allan i'r ysgol yng Ngwyddelwern

chadw fy ngwerthfawrogiad o lafur Miss Nesta Roberts yng nghegin yr Ysgol. Y mae safon ac ansawdd y cinio a gynigir i'r plant bob dydd yn hynod o uchel. Y mae'r ysgol yn ffodus iawn o fod ag un fel Miss Roberts i baratoi'r cinio.
29 Ebrill - Caewyd yr ysgol oherwydd ymweliad y Dywysoges Elisabeth a Duc Edinburgh a Meirionnydd. Cafodd y plant de yn yr ysgol a chludwyd hwy oll mewn bws i Gorwen i weld y pâr brenhinol. Yr oedd y plant yng ngofal eu hathrawon. Cyfrannwyd at y te gan Gyngor Dosbarth Edeyrnion.
7-8 Gorffennaf – Y Prifathro yng Nghaerdydd yn darlledu ar Gelfyddyd.
12 Gorffennaf – Euthum â'r plant hynaf am dro i ben Caer Drewyn. Hen gaer frythonig sydd gerllaw Corwen yw hon.
15 Gorffennaf – Deall bod Mr George Edwards athro'r juniors wedi cael ei dderbyn i Goleg Bangor. Bydd felly yn terfynu ei waith yma ddiwedd y mis yma.
22 Gorffennaf – Yr ysgol yn cau am wyliau'r haf. Bu raid i'r prifathro fyned i Ddolgellau ynglŷn â gwaith yr Eisteddfod Genedlaethol i.e. cywiro proflenni Llawlyfr Celf a Chrefft.
30 Awst – Miss Margaret Pritchard yn dechrau gyda'r juniors fel athrawes drwyddedig.
9 Rhagfyr - Anfon i Ddolgellau i ddweud mai chwe photel o sudd oren a gawsom yma. Derbyn nodyn gan y deintydd y bwriada ddod yma i dynnu dannedd dydd Mercher Rhag 14.

1950
1 Chwefror – Clywed am farwolaeth un a wnaeth lawer iawn dros blant ac ysgolion Cymru sef Mr D.J. Williams, Llanbedr. Bydd colled fawr ar ei ôl mewn llawer cylch.
1 Mawrth – Treuliwyd y diwrnod yn yr Ysgol a chafwyd gwersi am Ddewi Sant.
20 Mehefin - Anfon i'r Swyddfa Addysg am ganiatâd i gau'r ysgol ar Fehefin 28 gan bod Trip Blynyddol Cylch Corwen yn mynd i'r Rhyl.
5 Gorffennaf – Galwodd Mr Ellis D. Jones cyn ysgolfeistr Glyndyfrdwy yn yr ysgol heddiw. Ef yw 'Dewyrth Dei' y Comic Cymraeg yn awr.
11 Medi - Cwrs yng Ngholeg Abertawe. Cwrs yn ymwneud a chynnwys a ffurf a diwyg llyfrau plant. Bu'n gwrs diddorol dros ben a chrewyd brwdfrydedd mawr yno. Yr oedd y cwrs yng ngofal Miss Cassie Davies HMI.
22 Medi - Ymwelwyd â'r ysgol gan Sister Humphreys. Bu'n holi a oedd rhieni rhai o'r plant yn mynd allan i weithio'n rheolaidd bob dydd. Nid oes neb felly yma.
11 Hydref – Bûm yng ngardd yr ysgol yn gorffen codi'r tatws. Crop da. Y mae'r tywydd wedi ein cadw oddi yno yn hir eleni.
13 Tachwedd - Dechreuwyd Dosbarth WEA yn yr ysgol heno. Yr athro yw'r Parch Ronald Griffith MA. Testun 'Rhai Digwyddiadau yn Hanes Ewrop' – Llywydd – Ivor Owen, Ysg. Mr Elwyn Jones, Trys. Mr David Roberts. Daeth nifer dda ynghyd i'r cyfarfod cyntaf.
15 Rhagfyr – Cafodd holl blant yr ysgol eu gwahodd i Gorwen i weld darluniau byw yn rhad.

1951
8 Mehefin - Manteisiwyd ar y tywydd braf i roddi trefn ar ardd yr ysgol. Bu'r plant yn chwynnu a thrin y llwybrau.
21 Mehefin - Cafwyd caniatâd i gau yr ysgol heddiw er mwyn i'r plant gael cyfle i fod yn bresennol yng Nghorwen yn Eisteddfod Talaith Powys.
27 Mehefin - Caewyd yr ysgol heddiw gyda chaniatâd y Cyfarwyddwr Addysg oherwydd bod Pleserdaith Ysgolion Sul yr Ardal yn mynd i'r Rhyl.
23 Gorffennaf - Clywais bod Miss Evelyn Hughes wedi ei dewis yn aelod ar staff Ysgol Gynradd Llandderfel. Bu Miss Hughes ar staff yr ysgol hon am rai blynyddoedd ac yn ei thro bu

gyda'r plant ieuaf a chyda'r babanod. Gwnaeth waith canmoladwy iawn tra yma a bydd colled ar ei hôl.
25 Gorffennaf – Heddiw cynhaliwyd Cyngerdd yr Ysgol, a chredaf iddo fod yn llwyddiant. Mr Seth Pritchard oedd y Llywydd. Cymerodd y mwyafrif o'r plant eu rhan yn canu neu adrodd a therfynwyd y noson gyda drama gan y plant hynaf. Cafwyd £5/5s wrth y drws. Codwyd mynediad o 1/-

1952
19 Rhagfyr – Cau yr ysgol am Wyliau Nadolig. Rhoddwyd anrhegion bychain i'r plant gan yr athrawon a bu Mr Frodsham y siop a Mr Evan Evans y cigydd yn garedig iawn wrthynt hefyd.

1953
2-3 Mehefin - Dyddiau ychwanegol o wyliau i ddathlu Coroni Elizabeth II. Neilltuwyd Mehefin 2 fel dydd i ddathlu. Rhoddwyd te i bawb yn yr ysgol ond bu'n rhaid gohirio'r mabolgampau oherwydd y glaw.
22 Gorff - Apwyntiwyd y prifathro yn brifathro ysgol gynradd Llanuwchllyn
7 Hydref - Daeth gair bod Mr Huw Williams wedi ei ddewis yn Brifathro Ysgol Gwyddelwern.
9 Hydref - Gofynnodd y prifathro hefyd am hawl i golli dydd Gwener Hyd 16 i fynychu Bwrdd Rheolwyr Amgueddfa Genedlaethol Cymru yng Nghaerdydd
10 Rhagfyr - Cefais wybod fy mod i gychwyn ar fy ngwaith yn ysgol Gynradd Llanuwchllyn wedi gwyliau'r Nadolig. Nid yw'r tŷ yn barod i ni symud yno i fyw eto.
17 Rhagfyr –Pnawn heddiw cynhaliwyd cyfarfod yn yr ysgol i ffarwelio â'r Prifathro. Anrhegwyd ef â fountain pen hardd a rhodd o £7. Wedyn rhoddwyd te i'r plant i gyd. Cafwyd amser dymunol iawn gan bawb. Gwragedd y rheolwyr oedd yn rhoi y te. Y Parch Seth Pritchard oedd y Llywydd.
18 Rhagfyr – Yr ysgol yn cau am wyliau'r Nadolig. Dyma fy niwrnod olaf i, Ivor Owen, fel prifathro ysgol Gwyddelwern. Treuliais 5 mlynedd a hanner hapus iawn yn yr ardal garedig hon. Y mae fy nyled yn fawr iawn i'w thrigolion. Dymunaf i'm olynydd yr un hapusrwydd yma ag a gefais i.

Llanuwchllyn

Atgofion Disgybl

Roedd hi'n 1953 a chyfnod hir, hir y brifathrawes, Miss Gwladys Bowen, fel cyfnod ei thad o'i blaen, wedi dirwyn i ben. Yn Llanuwchllyn, roedd adeilad ysgol newydd sbon ar y gweill a dyddiau addysgu plant yn Ysgol y Pandy – y Neuadd heddiw – wedi eu rhifo.

Penodwyd Prifathro newydd i arwain addysg gynradd yr ardal ac yn Ionawr 1954 daeth Mr Owen i'n bywydau ni, blant yr ysgol.

Y Medi dilynol, a'r ysgol newydd erbyn hynny ar fin agor (ar Hydref y 12fed yr aethom iddi hi), roeddwn yn symud o ddosbarth Mr Evans i ddosbarth Mr Owen ei hun. Erbyn hyn, sylweddolaf i mi a'm cyfoedion oedd â dwy flynedd ar ôl yn yr ysgol gynradd fod, yn bendant, 'yn y man iawn ar yr adeg iawn'! Byth wedyn, bûm yn ddiolchgar i hynny ddigwydd.

Bu Mr Owen yn arwr i mi. Roedd y rhyfeddod hwn o arlunydd yn hanesydd praff, yn fathemategwr trefnus a gwyddonydd ymchwilgar. Gallai wneud gwersi undonog yn gofiadwy, ac roedd ei ddiddordeb byw yn y byd o'n cwmpas yn heintus. Edrychem ymlaen yn eiddgar at ei weld o'n eistedd i lawr o flaen y dosbarth i ddarllen rhai o glasuron y Gymraeg i ni – erys **Yr Etifedd Coll** yn fyw yn fy nghof hyd heddiw! Caem ein symbylu i ysgrifennu'n greadigol, ein dysgu i actio ac roedd ei arweiniad i ni ynglŷn â'n cred Gristnogol yn gadarn. Yn ogystal, roedd y prifathro hynod hwn yn gallu gwneud 'olwyn trol' a thrin y ffrâm ddringo yn gelfydd yn ystod y gwersi addysg gorfforol!! Tipyn o arwr!

Y pedwar athro ddaeth o hen ysgol y Pandy i'r ysgol newydd: Olwen Owen, Richard Evans, E.V. James ac Ifor Owen

Fel un siriol y cofia' i amdano fo gan amlaf, er bod raid troi tu min ambell dro, siŵr iawn. Cofiaf mai 'ffromi' oedd y term 'llenyddol' gennym ni'r plant amdano pan godai ei lais!

Y Mr Owen hwn, gyda'r **Hwyl** yn ei fywyd a'r 'rhesen lydan' ar ei ben, a drefnodd gwrs addysg gynradd Ysgol O.M.Edwards, Llanuwchllyn am yr ugain mlynedd nesaf. Bu'r addysg hwnnw yn sail a pharatoad ardderchog i blant fy nghenhedlaeth i ac ugeiniau wedyn wynebu'r byd y tu allan i Lanuwchllyn yn hyderus.

Heb os - ynghyd â'r aelwyd adre, arweinwyr diwylliedig Capel Peniel, Tom Jones y partïon cerdd dant a'r Parch Gerallt Jones a'r teulu - yn yr Ysgol ac wedyn yn Aelwyd yr Urdd bu Mr Owen yn ddylanwad diamheuol arna' i a'm ffrindiau. Dysgodd ni i weld gwerth a chyfoeth cymuned leol. Dangosodd i ni bod Cymru yn bodoli, a'r Gymraeg yn drysor i'w gwarchod a'i harfer yn naturiol ymhobman. Dysgodd ni i ddyfalbarhau pan â pethau'n anodd. Yn ddiweddarach, gwelais Ifor Owen yn cefnogi ymdrechion pawb ohonom pan gaem ein hunain mewn ymgyrchoedd iaith, yn mynegi ein neges mewn cân, o lwyfan a phulpud ac mewn llys barn!

Bu ei ddylanwad yn fawr arna i'n bersonol. Efo fo y ces i'r sgwrs wnaeth i mi benderfynu mynd yn athro ysgol gynradd yn y lle cynta', a fo oedd un o'r dyrnaid cynta' i wybod, ym 1972, mod i am ddod yn 'gymydog' iddo i Ysgol Rhydymain.

Yn gyd-brifathrawon wedyn ym Meirionnydd, roedd hi'n naturiol bod gennym sawl peth yn gyffredin. Nid yn unig byddem yn cyfarfod mewn pwyllgorau a chyfarfodydd addysgol ond cawsom hefyd rannu cynnwrf gwleidyddol y cyfnod! O gydweithio yn y sir a roddodd i ni gynt rai fel Michael D Jones, Tom Ellis, O.M. Edwards ac Ifan ab Owen Edwards, gwelsom etholiadau seneddol 'hanesyddol' 1974 – a'r deffroad yn ysgwyd ein Cymru lugoer ac yn ein llonni ninnau.

****

Fel ôl-nodyn, diddorol yw cyfaddef mai 'oherwydd' Mr Owen y deuthum yma i Fôn. Gofynnwyd i mi roi gair o deyrnged iddo ar deledu pan oedd yn ymddeol o Ysgol O. M. Edwards ym 1976. Wedi gorffen y darn i'r camera, daeth cydnabod agos o gynhyrchydd ataf i'm perswadio i ystyried swydd Pennaeth yn ei ran ef o Sir Fôn. Wnes i ddim byd ar y pryd ond addewais gadw'r mater mewn cof. Yn nechrau 1978, y daeth y cyfle i wasanaethu yn ardal Llandegfan. Yma y bûm yn brifathro am y tair blynedd ar hugain nesaf, yn aml yn aros, ystyried sefyllfa a cheisio meddwl sut tybed yr edrychai Mr Owen ar bethau!

Bu'n wir yn fraint cael ei adnabod. Diolchwn am arweinwyr fel fo.

Edward Morris Jones

Atgofion Cyd-athro

Er imi gyfarfod Ifor Owen droeon yn niwedd y pedwardegau, deuthum i'w adnabod yn llawer gwell pan gefais fy mhenodi ar staff Ysgol O.M.Edwards ym mis Medi 1957 ac aros am dros dair blynedd. Bûm yn hynod o ffodus o gael fy anfon i Lanuwchllyn, pentre diwylliannol gyda thrigolion croesawgar a chyfeillgar. Deuthum i sylweddoli person mor arbennig oedd Ifor Owen.

Roedd symud i Ysgol O.M.Edwards yn newid garw imi; gadael ysgol o dros 300 o blant gyda gofal dosbarth hynaf yno a dod i ysgol o ychydig dros 80 o blant a dysgu plant 8 i 9 oed. Ond fe'm derbyniwyd yn gynnes iawn gan bawb o'r staff ac Ifor Owen yn arbennig a aeth allan o'i ffordd inni fel teulu gael llety. Roedd bod yn gymwynasgar yn un o'i nifer rhagoriaethau a'i gwmni mor annwyl ac agos atoch.

Yn ystod y toriad am baned yn y bore, roedd yn bleser pur i fod yn ei gwmni oherwydd ei gymeriad hoffus a'i wybodaeth anhygoel ar amrywiol bynciau, a'i ddawn ddihafal i adrodd hanesion. Byddai ganddo hanesion diddorol o'i ddyddiau cynnar yng Nghefnddwysarn a'i wybodaeth am y trigolion. Cofiaf un tro iddo adrodd hanes gŵr oedd yn dilyn yr injan ddyrnu a oedd y pryd hynny yn cael ei symud o fferm i fferm gan wedd o geffylau cryfion. Perthynai i bob dyrnwr sgotsian neu ddwy i'w defnyddio ar elltydd pan fyddai angen hoe ar y ceffylau. Byddai'r sgotsian yn tynnu'r pwysau oddi ar y ceffylau. Wrth gwrs, tu ôl i'r olwynion y rhoddid y sgotsian gan amlaf. Ond un tro, wrth fynd i lawr allt go serth, gwaeddodd perchennog y dyrnwr ar y gwas i osod sgotsian. Gan nad oedd y dyrnwr yn arafu aeth i weld beth oedd yn bod a chanfod bod y gwas yn ceisio gosod y sgotsian tu ôl i'r olwyn yn hytrach na'r tu blaen gan honni mai fan honno roedd wedi arfer ei rhoi!

Roedd Ifor Owen yn addysgwr blaengar ac yn llwyddo i gyflwyno syniadau newydd mewn ffyrdd gwreiddiol a difyr. Roedd ei ofal o'r plant a'u hanghenion addysgol yn ddiffuant iawn. Roedd ei gariad a'i gonsyrn dros yr iaith Gymraeg, dros Eisteddfodau lleol a chenedlaethol yn annog y plant i ddarllen; cywiro eu hiaith a gwnâi y cwbl mewn ffordd adeiladol a diddorol.

Mae dywediad yn y Saesneg "Jack of all trades but master of none"; nid felly Ifor Owen, roedd popeth a ymgymerai ag ef yn chwaethus a chadarn. Braint o'r mwyaf oedd cael ei adnabod.

Huw Roberts

Huw Roberts ac Ifor Owen yng nghanol eu disgyblion

Atgofion cyd-athro ac olynydd

Ym Medi 1973 y deuthum i adnabod Mr Owen. Roeddwn i'n ddarllenwr brwd o'r comic **Hwyl** pan oeddwn i'n yr ysgol gynradd ac wedi gweld yr enw Ifor Owen ar nifer o'r straeon. Deuthum hefyd i wybod amdano fel prifathro Ysgol O.M.Edwards ond ychydig feddyliais i y byddwn i yn ddigon ffodus i'w gael yn brifathro arnaf a minnau yn dod yn athro ifanc a dibrofiad i Lanuwchllyn. Tair blynedd y bûm yn cydweithio ag ef cyn iddo ymddeol, ond fe ddysgais lawer yn y tair blynedd hapus hynny.

Prifathro

Fel prifathro, roedd yn deg iawn. Roedd yn gadael imi dorri fy nghwys fy hun ac er ei fod yn sicr yn gwrido wrth fy ngweld yn gwneud camgymeriadau a gwneud pethau'n wahanol i'r hyn a wnâi ef, ni feirniadai o gwbl, dim ond annog ac awgrymu. Cadarnhaol oedd ei sylwadau bob amser ac roedd blynyddoedd o brofiad fel prifathro y tu ôl i'r sylwadau hynny. Ac roedd ganddo brofiad helaeth fel prifathro, oherwydd ni fu erioed yn athro cynorthwyol mewn unrhyw ysgol, gan iddo gael ei benodi yn syth o'r Coleg Normal i fod yn brifathro ar Ysgol Croesor. Loes i'w galon fyddai gwybod bod yr ysgol honno erbyn hyn yn cael ei chau, er bod bygythiadau i'w chau bryd hynny hefyd.
Yna o Groesor i Wyddelwern a chyfnod hapus arall yn ei fywyd. Pan ddaeth i Lanuwchllyn yn 1954 yn brifathro nid oedd ond dau brifathro wedi bod yn yr ysgol ers 1890 – sef Thomas Bowen a'i ferch Miss Gwladys Bowen. Bu Ifor Owen yn brifathro ar Ysgol O.M.Edwards o 1954 – 1976 a chofnodwyd peth o'i atgofion fel Prifathro cyntaf Ysgol O.M.Edwards yn y llyfr **O'r Pandy i'r Llan**.

Roedd ei wybodaeth am bob dim yn anhygoel. Roedd gwrando arno a chynnal trafodaeth gydag ef ar wahanol feysydd yn agoriad llygad ac yn hogi'r meddwl. Mae'n wir dweud nad oeddem yn cyd-weld bob amser ar rai materion diwinyddol, ond anghytuno cyfeillgar oedd ei anghytuno ef bob tro. Yn y cyfnod hwn roedd **Atlas Meirionnydd** yn cael ei gyhoeddi a Geraint Bowen yn galw heibio'r ysgol yn bur aml - nid wrth ei waith fel Arolygydd Ysgolion ei Mawrhydi ond fel cyfaill i Ifor Owen ac i gael ei farn am ryw agwedd o'r Atlas. Roedd y sesiynau hyn yn rai anhygoel a digwyddent yn aml ar amser cinio - ac roedd y plant ar adegau felly yn cael amser chwarae cinio go estynedig!

Wrth reswm, doedd y Cwricwlwm Cenedlaethol ddim wedi dod i fri cyn iddo ymddeol, ac nid oedd ganddo fawr i'w ddweud wrth gynlluniau a orfodid gan wladwriaeth. Ac roedd ganddo lai fyth i'w ddweud wrth drefn asesu. Byddai trefn o asesu caeth fel a gafwyd yn dilyn y Cwricwlwm Cenedlaethol yn ei yrru'n gandryll dybia i. Ar y llaw arall, credaf y byddai yn fwy parod i dderbyn y datblygiadau sydd ar y gweill o safbwynt y Cyfnod Sylfaen a hefyd Cwricwlwm 2008. Mae gen i syniad go lew hefyd beth fyddai ei farn am Asesiadau Risg a Pholisïau a Chynlluniau Gwaith a... Doedd pethau felly ddim ar ei raglen waith wythnosol o. Digon ganddo oedd gorfod llenwi rhyw ffurflen flynyddol a elwid yn 'Form 7'.

Cyngherddau Nadolig yr Ysgol

Roedd hi'n arferiad – fel y mae hyd heddiw – i gynnal Cyngerdd Nadolig blynyddol yn Ysgol O.M.Edwards ac fe fyddai'r dramâu hynny'n agoriad llygad. Byddai Mr Owen yn ysgrifennu'r dramâu ar wahanol themâu a'r drefn yn aml oedd ei fod yn ysgrifennu'r darnau siarad ar ffurf mydr ac odl ac yna'n cyfarwyddo'r holl waith yn fanwl, fanwl gan ddangos i hwn a'r llall sut i lefaru'r geiriau a sut i symud neu droi neu seibio. Roedd y llwyfannu'n bwysig iawn ganddo. A'r llwyfan wedyn. Roedd ôl medrus yr artist i'w weld ar y cefndir a'r dodrefn llwyfan nes gwneud y Cyngerdd yn un o uchafbwyntiau'r flwyddyn ysgol. Ond cyn y llwyfannu rhaid oedd coluro pob un o'r disgyblion – ac ef a wnai hynny. Ei grysbas wedi ei thynnu, a'i wasgod wau amdano, y sbectol ar ei dalcen ac yntau yn rhoi gruddiau llwyd i un, trwyn coch i arall, lliwio gwallt a rhoi mwstas neu farf. Roedd y disgyblion i gyd wedi eu trawsnewid mewn cwta awr o amser. Yna, i ben y llwyfan a chyhoeddi'r cyngerdd.

Ac yna'r swper wedyn yn y Gwyndy. Mrs Owen wedi paratoi pryd arbennig i ni athrawon ar ôl y cyngerdd. Ail-fyw'r cyngerdd a chwerthin wrth feddwl am droeon trwstan y noson a chael clywed troeon trwstan y blynyddoedd a fu. " Duwcs ydech chi'n cofio Irwyn Bro Aran...." Doeddwn i ddim wrth gwrs ond roedd y cyfan yn ddifyr ac yn addysg.

Athro

Roedd Mr Owen yn athro naturiol. Roedd y ffaith bod ganddo wybodaeth mor eang ar wahanol bynciau yn ei wneud yn athro ardderchog. Gallai droi at unrhyw faes a chyflwyno ei wybodaeth mewn gwersi diddorol iawn. Roedd ei allu i dynnu llun mor ddiymdrech yn ei alluogi i gyfleu'r wybodaeth yn weledol. Roedd ei luniau yn britho waliau'r dosbarth - wedi eu gwneud yn fanwl a chyda thrafferth - y lluniau yn lliwgar a'r llythrennu arnynt yn fanwl ac mewn 'indian inc'. Ond roedd ganddo hefyd luniau nad oeddent yn rhai parhaol, ond yn dangos yr un gofal serch hynny. Lluniau mewn sialc lliwgar ar y bwrdd du oedd y rhain. Bwrdd gwyn rhyngweithiol yw'r ffasiwn bellach yn ein hysgolion, ond fe ellid dweud bod bwrdd du Mr Owen yn un rhyngweithiol ymhell cyn i'r gair hwnnw gael ei fathu!

Mae'r gair uchel a roddir iddo fel athro gan ei gyn-ddisgyblion yn dangos pa mor ddylanwadol oedd ei gyfraniad fel athro yn ei filltir sgwâr.

Ifan Alun Puw

Chwarae drama yn yr ysgol tua diwedd y 50au

Rhai pytiau o Lyfrau Log Llanuwchllyn

COFNODION IFOR OWEN

January 5th, 1954

Heddyw yw fy niwrnod cyntaf fel Prifathro Ysgol Gynradd Llanuwchllyn. Deuthum yma wedi treulio chwe mlynedd yng Ngwyddelwern a deuddeg mlynedd yng Nghroesor cyn hynny. Cefais yr Ysgol mewn cyflwr da, y plant yn effro boneddigaidd a glân, ac arwyddion bod y staff yn ymroddgar a diwyd.

Ivor Owen

Dydd Mawrth, Hydref 12fed (1954)

O'r diwedd daeth y dydd i ffarwelio â'r hen ysgol. Hen Ysgol y Pandy fel y gelwir hi. Yma y bu cenedlaethau o blant Llanuwchllyn yn derbyn Addysg. Er mai gwael ac anniddos yw'r adeilad yn awr nid heb gryn dipyn o chwithdod y troir cefn arni. Gadawsom yn orymdaith drefnus am unarddeg. Pob plentyn yn cario coflaid fechan o'i lyfrau a'i drysorau. Daeth nifer o drigolion y Pandy i ffarwelio â ni a chymrwyd amryw o ddarluniau. Cerddasom ar hyd y Gwaliau, dros bont y Ddyfrdwy ac i'r Llan. Yno yr oedd trigolion y Llan yn disgwyl i roi croeso inni i'r rhan yma o'r Pentref. Awd i mewn i'r Ysgol Newydd hardd a threuliwyd y bore i roddi pawb yn ei le ei hun etc. Yna cafwyd y cinio cyntaf yn yr Ysgol Newydd. Felly y sylweddolwyd breuddwyd ac y coronwyd ymdrechion cenedlaethau o garedigion plant Llanuwchllyn i gael Ysgol deilwng o'r Ardal.

Ac yma, yr un dydd ac y caeir drysau Hen ysgol y Pandy fel Ysgol Ddyddiol, y caeir cloriau y llyfr Cofnodion hwn a fu'n traethu hanes Ysgol y Pandy yn ystod ei holl hanes fel "Ysgol Unedig Llanuwchllyn" o 1890 hyd Hydref 12, 1954.

Ivor Owen

(Mae yna fwlch o hynny tan 3/9/68)

28/9/68

Cynhaliwyd Cyfarfod Gwobrwyo yn Ysgol O.M.Edwards gan y Cyngor Llyfrau Cymraeg. Derbyniodd Ysgol O.M.Edwards y wobr gyntaf i Ysgolion Cynradd am werthu mwyaf o Lyfrau Cymraeg yn ymgyrch Gŵyl Dewi 1968. Dyma'r drydedd flwyddyn yn olynol i'r ysgol dderbyn y wobr hon. Amcangyfrifir bod plant yr Ysgol wedi gwerthu tua 18,000 o lyfrau Cymraeg yn ardal Llanuwchllyn ers pan sefydlwyd yr Ymgyrch. Gwnaed y rhan fwyaf o'r gwaith ynglŷn â hyn gan un o'r athrawesau sef Miss E.V.James.
Rhoddwyd tê i'r gwahoddedigion gan Gangen Merched y Wawr, Llanuwchllyn.

1/7/69

Ni chynhaliwyd ysgol heddiw oherwydd y rhialtwch yng Nghaernarfon lle mae'r Tywysog Siarl yn cael ei arwisgo'n "Dywysog Cymru". Bu'r Prifathro yn yr ysgol fel arfer.

2/7/69

Gwyliau eto. Wele uchod. Bu'r Prifathro yn yr ysgol fel arfer.

8-9/11/71
Bu'r prifathro'n absenol y ddau ddiwrnod hyn yn tystio i'w fab Meilir Owen ym Mrawdlys yr Wyddgrug lle mae 17 o aelodau Cymdeithas yr Iaith Gymraeg o flaen eu gwell am gynllwynio i amddiffyn yr iaith a sicrhau gwasanaeth Teledu teilwng i Gymru yn Gymraeg a Saesneg.

16/12/71
Bu'r prifathro yn absennol i fynychu cwrs Cymraeg fel ail-iaith yn Aberystwyth Rhag 12 – 15. Rodd y prifathro'n annerch ar "Ysgol Gymraeg Naturiol" sef Ysgol O.M.Edwards.

Awst 31,1976
Heddiw daeth fy nhymor fel Prifathro Ysgol O.M.Edwards i ben yn ogystal a'm tymor fel athro. Rwyf yn brifathro yn Ysgol O.M.Edwards ers dros ddwy flynedd ar hugain ac yn brifathro dan Awdurdod Meirion ac yna Gwynedd ers dros ddeugain mlynedd. Bu fy nhymor yn Ysgol O.M.Edwards yn un hapus iawn a chefais bob caredigrwydd a chydweithrediad gan y plant y rhieni a'r Rheolwyr, ynghŷd â'r ddau Awdurdod Addysg. Clod i ansawdd groesawus yr Ardal yw mai y fi yw'r trydydd Prifathro ers 1890! Mr Thomas Bowen 1890 – 1914, Miss Gladus Bowen 1915 – 1953 Ifor Owen 1954 – 1976. Dymunaf ddiolch i staff yr ysgol a'r gegin am eu cydweithrediad llawen ac ymroddgar a'u teyrngarwch llwyr bob amser.
Croesawaf Mr Thomas Prys Jones a'i briod i'r ardal a dymunaf iddynt yr un hapusrwydd digymysg ag a gefais i yn Llanuwchllyn

Ifor Owen

Cyflwyniad i waith Celf Ifor Owen

Mae gwaith celf Ifor Owen yn estyniad naturiol o'i ddiddordebau a'i ddaliadau. Mae cyd-destun ei ysgythriadau yn ddieithriad bron yn seiliedig ar ei frogarwch a'i wybodaeth am arwyddocâd hanesyddol llecyn arbennig. Fe amlygwyd ei ddiddordeb a'i allu mewn celf yn gynnar iawn. Cipiodd nifer o wobrau cyntaf yn Adran Gelf a Chrefft Eisteddfod Genedlaethol yr Urdd Corwen 1929. Parhaodd i ddangos ei ddawn arlunio yn yr ysgol drwy fod yn llwyddiannus yn arholiadau'r "Royal Drawing Society"

Roedd arlunio yn ail natur ar yr aelwyd. Roedd ei dad J.F Owen yn arlunydd penigamp. Soniai fel roedd yn arlunio byth a beunydd ac yntau'n ei efelychu. Prin y meddyliodd, serch hynny, pan oedd yn eistedd ar ben y grisiau gyda'i chwaer yn ei gartref Pentre' Tai'n y Cwm Cefnddwysarn yn gwrando ar ymgomio difyr yr oedolion a Llwyd o'r Bryn yn eu plith, y buasai flynyddoedd yn ddiweddarach yn cynllunio siaced lwch ag eglurluniau i lyfr **Y Pethe**.

Gallai olrhain y diddordeb mewn celf yn y teulu yn ôl i ewythr ei dad Robert Owen. Cafodd fwynhad mawr yn curadu arddangosfa "Yn y Gwaed" yng Nghanolfan Treftadaeth y Plase Y Bala oedd yn cynnwys gwaith pum cenhedlaeth o'i deulu.

Yn ystod y cyfnod fel prifathro Ysgol Croesor datblygodd ei grefft fel addysgwr, ac mae'n amlwg yn ôl cynnwys yr adroddiad arolygydd ei mawrhydi yn 1938 fod ei hoffter o gelf yn treiddio drwy ei addysgu. Dyma ddyfyniad o'r adroddiad.

"The head teacher is efficient and conscientious and as he possesses a considerable artistic ability it is perhaps natural that the work of the school should reveal a distinct bias in this direction....................
The childrens' work includes good linocuts, poster work in pastels, lettering and story illustration. There are good examples of fabric printing (hand painted serviettes) with the children's own lino-block designs. The work includes also binding of multi-section books in different ways; the covers of some are decorated with lino, stencil or potato prints...........................
Mae'r adran hon yn gorffen gyda'r frawddeg -
It can be said that the work of this class taken by the head teacher, is, in Art very varied and creditable."

Yng Nghroesor hefyd y dechreuodd ddylunio llyfrau plant. Yn ôl y sôn cafodd y cyfle cyntaf pan gaewyd yr ysgol am wythnosau (arferiad y cyfnod) oherwydd bod y frech goch wedi taro plant yr ardal, llyfrau megis **Yr Hogyn Pren**.

Defnyddiodd ei ddawn fel arlunydd i gefnogi ei addysgu drwy gydol ei yrfa fel athro. Cynhyrchai ei adnoddau ei hun mewn cyfnod lle'r oedd prinder adnoddau yn enwedig yn y Gymraeg. Byddai'r adnoddau hyn a chyfeiriadaeth at hanes lleol neu greiriau a ddarganfuwyd o fewn y filltir sgwâr.

CANOLFAN Y PLASE Y BALA
YN Y GWAED
IN THE BLOOD

ARLUNWAITH | ARTWORK BY
IFOR OWEN, LLANUWCHLLYN
A PHUM CENHEDLAETH O'R TEULU | AND HIS FAMILY OVER FIVE GENERATIONS
GORFFENNAF 13 - 27 JULY
LLUN-GWENER 1.00-6.00PM MON-FRI
SADWRN 10.30-6.00 SATURDAY
MYNEDIAD RHAD / ADMISSION FREE
1996

Poster ar gyfer yr arddangosfa o waith celf y teulu 'Yn y Gwaed'

Eglurlun sgraffwrdd o'r tarw a'r ci ar gyfer 'Y Pethe'

Eglurlun sgraffwrdd Llwyd o'r Bryn yn bodio ar gyfer 'Y Pethe'

Eglurlun sgraffwrdd o fugeilio ar gyfer 'Y Pethe'

Eglurlun sgraffwrdd o'r ceffyl yn troi'r werthyd ar gyfer 'Y Pethe'

Yn ystod ei gyfnod fel prifathro yng Ngwyddelwern, dechreuodd y comic **Hwyl**. Roedd hefyd wrth gwrs y gyfrannwr toreithiog i'r **Hwyl** a chreodd gymeriadau megis Tomi Puw a Defi John a Pero bach a gafodd ymhell dros bedwar cant o anturiaethau dros y blynyddoedd. Cyhoeddodd dri **Llyfr Mawr Hwyl** ac ar y cloriau lliwgar gwelir holl gymeriadau comic **Hwyl** yn llawn rhialtwch mewn cyd-destunau gwahanol, trên, awyren a llong ofod.

Ystyriai Ifor Owen y comic **Hwyl** nid yn unig fel diddanwch i blant ond cyfrwng i'w haddysgu am arwyr Cymru, mater oedd yn agos iawn at ei galon. Gallai uniaethu'n llwyr a'i arwr O.M. Edwards pan ddywedodd.

"Yr un dystiolaeth brudd meddai, yr wyf yn ei chael ymhobman yng Nghymru. Mae cartref enwog yn ymyl y plentyn - lle cyfieithwyd Gair Duw i'w iaith, lle rhoddwyd ar gân rhyw wirionedd a wareiddiodd ei gyndadau, lle daliwyd rhyw alaw nefolaidd i buro a diddanu meibion dynion byth mwy- ond druan bach, ni ŵyr ef ddim amdanynt."

Yn ogystal â chynhyrchu **Hwyl**, bu'n awdur a dylunydd i nifer o lyfrau plant. Un o'r rhain oedd **Yr Hen Wraig Bach a'i Mochyn**. Roedd hwn yn gyhoeddiad llawn lliw gyda thudalennau yn agor allan fel consertina. Yn ei ddydd roedd yn ddyluniad arloesol, ac mae'r delweddau sydd ynddo wedi eu ffurfioli a'u symleiddio i blant eu gwerthfawrogi. Defnyddiodd yr un arddull mewn llyfrau megis, **Llyfr Peintio, Eisteddfod y Zw, Hendre Codi'n Fore** a **Thomas William a'i Gyfeillion.**

Cafodd ei gydnabod am ei gyfraniad i lenyddiaeth plant trwy fod y cyntaf i dderbyn "Tlws Mary Vaughan Jones" yn 1985.

Un o'r ysgythriadau sgraffwrdd ar gyfer 'Merched y Môr'

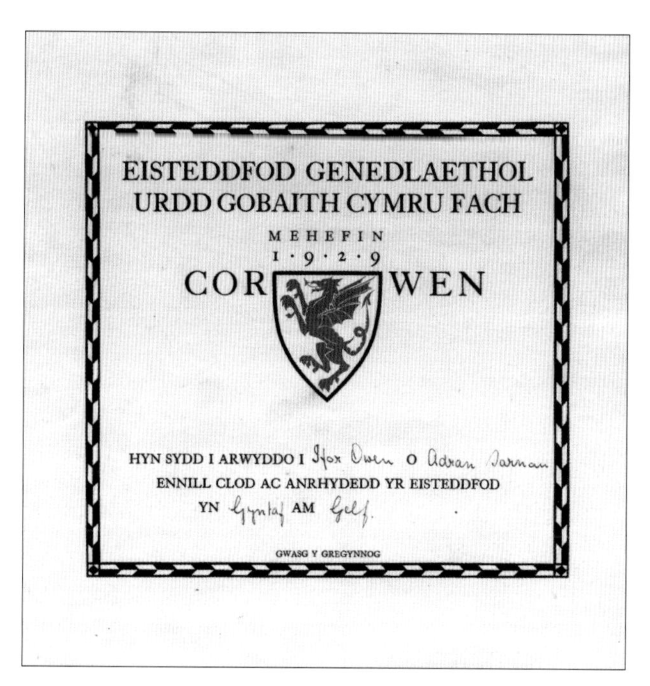

EISTEDDFOD GENEDLAETHOL
URDD GOBAITH CYMRU FACH
MEHEFIN
1·9·2·9
COR WEN

HYN SYDD I ARWYDDO I Ifor Owen O Adran Sarnau
ENNILL CLOD AC ANRHYDEDD YR EISTEDDFOD
YN Gyntaf AM Gelf.

GWASG Y GREGYNNOG

Tystysgrif am ddod yn fuddugol am Waith Celf yn Eisteddfod Genedlaethol gyntaf yr Urdd yng Nghorwen, 1929

Darlun gan J.F. Owen, tad Ifor Owen, o long hwyliau

Clawr gwreiddiol Y Pethe

Toriad leino – Croesor a Moel Ddu

Clawr Yr Hogyn Pren *(1943)*

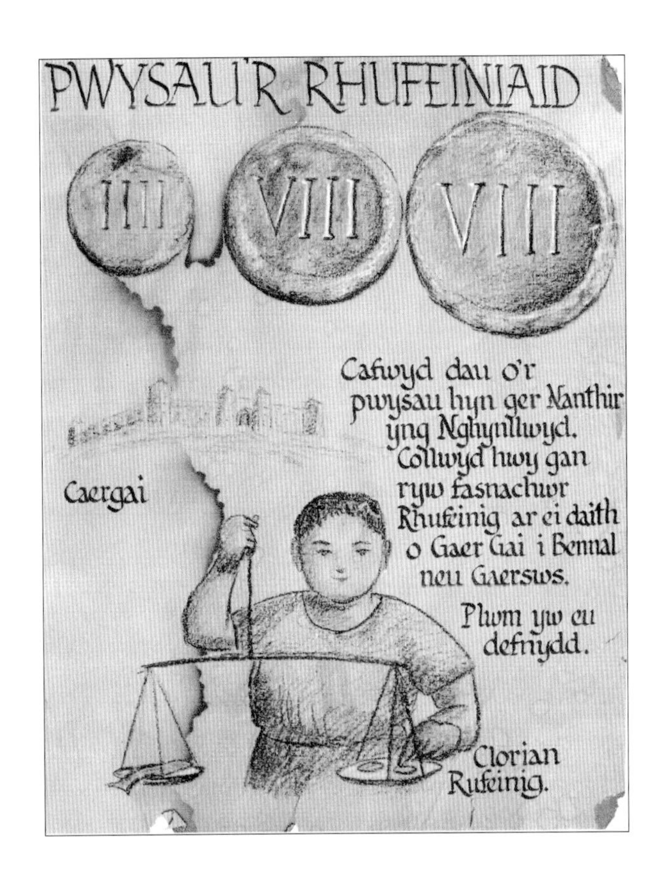

Poster o waith Ifor Owen yn rhoi hanes pwysau'r Rhufeiniaid i blant yr ysgol

Poster o waith Ifor Owen yn darlunio'r fwyell bres a ddarganfuwyd yn ardal Llanuwchllyn

Poster o waith Ifor Owen yn darlunio'r H haearn G gwthio a ddarganfuwyd yn ardal Llanuwchllyn i blant yr ysgol

Poster o waith Ifor Owen yn adrodd hanes y morthwyl carreg a ddarganfuwyd ar fferm Brynmoel

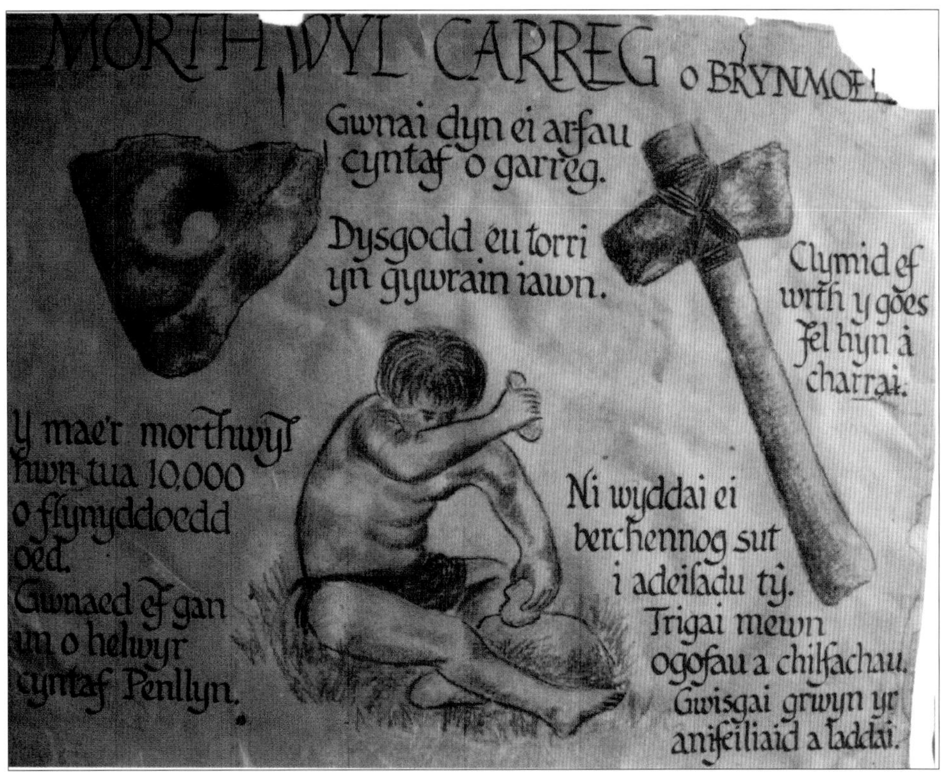

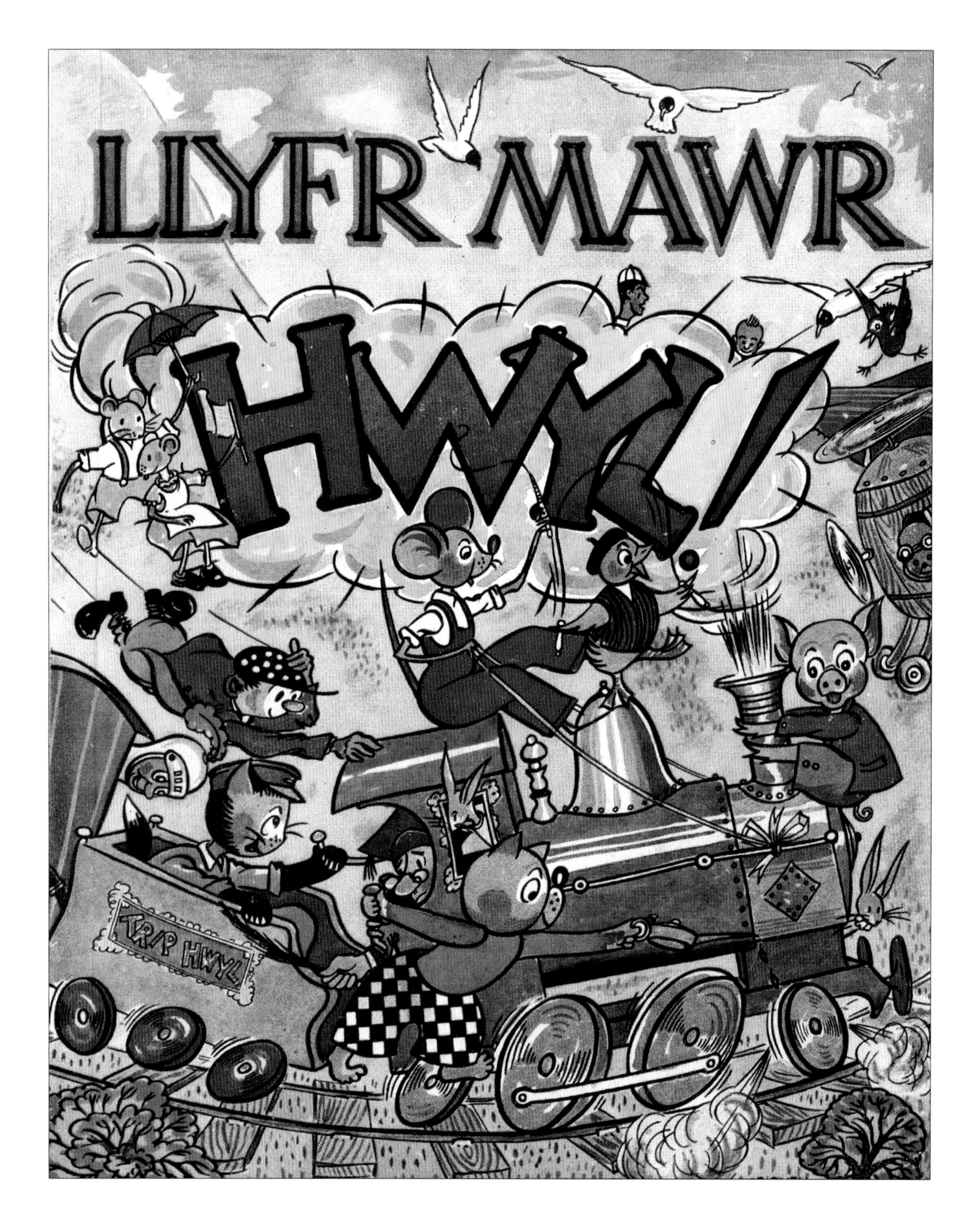

Clawr Llyfr Mawr Hwyl – *y cyntaf*

Clawr Llyfr Mawr Hwyl – *yr ail*

Clawr Llyfr Mawr Hwy1 *– y trydydd*

Clawr Yr Hen Wraig Bach a'i Mochyn

Y rhan o lyfr Yr Hen Wraig Bach a'i Mochyn *oedd yn plygu allan fel consartina*

Diwedd stori Yr Hen Wraig Bach a'i Mochyn

Copi o Yr Hen Wraig Bach a'i Mochyn *wedi'i agor*

Clawr Llyfr Peintio ABC

Clawr Eisteddfod y Zw *(1948)*

Y darluniau tu mewn i Eisteddfod y Zw *gan Ifor Owen*

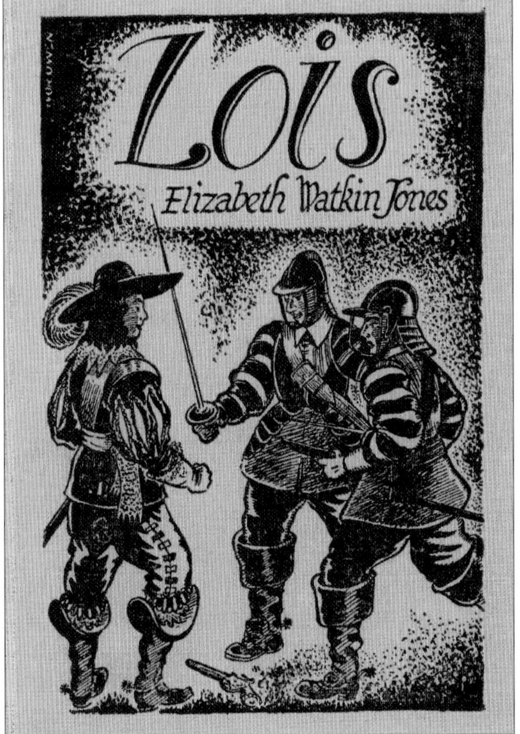

Pedwar clawr o waith Ifor Owen: Tannau'r Cawn *(1965);* Hunangofiant Tomi *(1960);*
Bywyd a Gwaith Owen Morgan Edwards *(1958) a* Lois *(1955)*

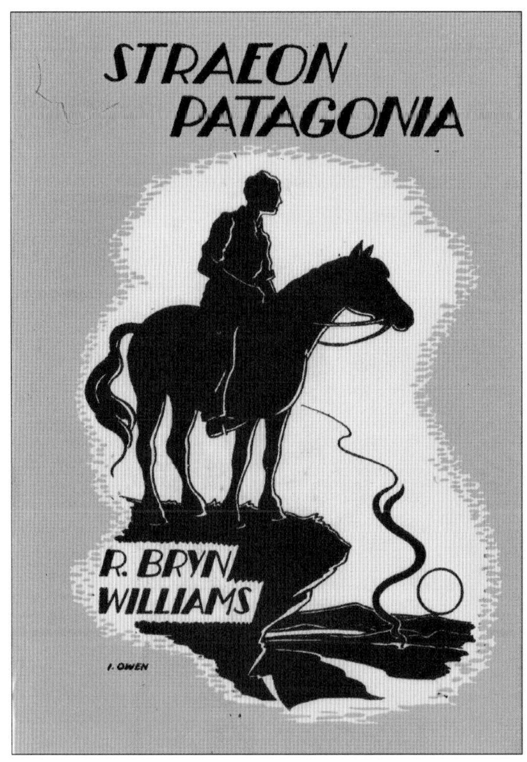

Pedwar clawr o waith Ifor Owen: Straeon Patagonia *(1946);* Pen yr Yrfa *(1969);* Cerddi'r Dyffryn *(1967)* *a* Y Bobl Beryglus *(1956)*

Clawr Merched y Môr *(1958)*

Eglurlun sgraffwrdd – allan o 'Merched y Môr'

Mynegodd ei grefydd yn y cardiau Nadolig a gynhyrchai'n flynyddol, llawer ohonynt yn cynnwys delweddau crefyddol. Roedd neges dangnefeddus y Nadolig yn apelio at ei heddychiaeth. Ac mae'r giât ar borth y Fynwent Newydd yn Llanuwchllyn yn cyfleu ei ffydd. (gweler y bennod 'Cristion')

Dau gerdyn Nadolig o waith Ifor Owen

Cafodd bleser mawr yn dylunio tystysgrif a gyflwynwyd gan Blaid Cymru i wrthwynebwyr cydwybodol mewn rali yn Llanuwchllyn yn 1955 Dyma un o'r enghreifftiau gorau lle mae'n cyfuno testun a delwedd.

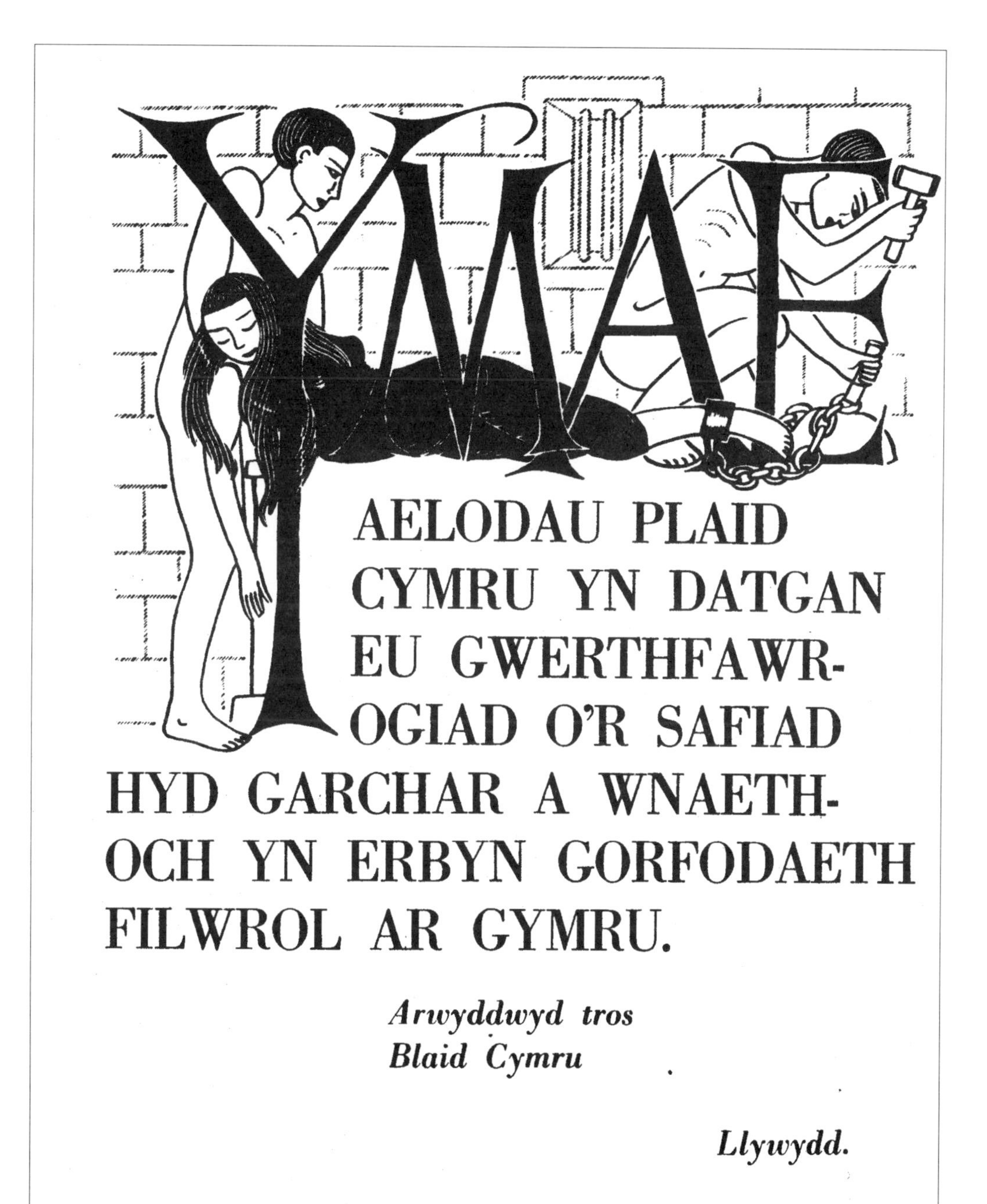

YMAE AELODAU PLAID CYMRU YN DATGAN EU GWERTHFAWR-OGIAD O'R SAFIAD HYD GARCHAR A WNAETH-OCH YN ERBYN GORFODAETH FILWROL AR GYMRU.

Arwyddwyd tros
Blaid Cymru

Llywydd.

Rali Plaid Cymru Llanuwchllyn Medi 1955.

Tystysgrif a gyflwynwyd gan Blaid Cymru i wrthwynebwyr cydwybodol wedi ei ddylunio gan Ifor Owen

Dylanwadodd grŵp o artistiaid a gysylltir yn bennaf gyda gwasg y "Golden Cockrel" yn fawr arno. Gwasg oedd hon oedd yn cyhoeddi llyfrau cain wedi eu eglurlunio gan argraffiadau o ysgythriadau pren artistiaid adnabyddus megis Agnes Miller Parker, Rowlands Stone, Robert Gibbings, John Petts a David Jones.

Sefydlodd John Petts wasg "The Casseg Press" yn Llanystumdwy nid nepell o Groesor. Dyma'r cyfnod pan ddatblygodd Ifor Owen ei hoffter o lyfrau fel gwrthrychau cain ynddynt eu hunain. Roedd yn berchen ar rai o'r llyfrau hyn ac roedd yn werth ei weld yn eu bodio. Gafaelai ynddynt fel pe bai'n ymdrin â thrysorau gwerthfawr. Mabwysiadodd gyfrwng yr artistiaid hyn sef ysgythriadau pren a dyma yw prif gyfrwng ei weithiau celf cynnar.

Ysgythriad pren o'r Tryfan

Ysgythriad pren o'r Dryw Bach

Ysgythriad pren o fferm wrth droed y Cnicht

Coed y Pry IVOR OWEN

Cymraes fach sionc IVOR OWEN

Dyma Ifor Owen yn disgrifio'r cyfrwng ar dechneg a ddylanwadodd arno.

"Roedd ac y mae, rhyw swyn arbennig imi ym mhatrwm llinell wen ar gefndir du, a'r llinell ddu ar gefndir gwyn. 'Roedd yn rhaid prynu offer a cheisio efelychu fy arwyr. Mae'r bloc pren o ansawdd caled iawn, pren bocs, neu ellygen, neu 'rock maple'. Mae wedi ei lifio ar draws y graen, a'i wyneb wedi ei lyfnhau a'i lathru'n berffaith. Y mae yn union yr un trwch ag uchder teip yr argraffydd. Felly gellir ei ddefnyddio'n uniongyrchol gyda'r teip.

Rhaid wrth gynion bychain arbennig i naddu'r rhannau gwyn allan o wyneb y bloc, gan adael pob llinell neu arwynebedd gwyn heb eu cyffwrdd. Rhoddir inc argraffu ar wyneb y bloc gorffenedig gyda roler rwber. Codir yr inc gan y rhannau hynny o'r bloc sydd heb eu naddu ymaith. Rhoddir y bloc ar bapur a'i wasgu i wneud printiad.

Rhaid naddu'r llun ar y bloc 'o chwith' er mwyn iddo argraffu 'o ddethe'. I sicrhau fod y toriad o chwith defnyddir drych wrth osod cynllun y darlun ar y bloc. Ni ellir cywiro camgymeriad gyda bloc pren. Eiliad bryderus yw honno pan wneir y printiad cyntaf o floc newydd"

Hoffwn pe bawn wedi gwneud ychwaneg o waith yn y maes hwn, eithr llithrais i geisio'r un effaith patrymog gyda'r 'scraffwrdd'. 'Roedd y dechneg honno yn gofyn llai o ymdrech!"

Roedd scraffwrdd yn dechneg mwy uniongyrchol. Cardfwrdd yw hwn wedi ei orchuddio a haenen o blaster gwyn ac inc du. Defnyddir offer arbennig i grafu drwy'r inc du i ddangos y plaster gwyn oddi tanodd. Roedd modd argraffu'r ysgythriadau pren yn uniongyrchol ond roedd yn rhaid danfon y delweddau scraffwrdd i ffwrdd i'w trosi yn flociau metel.

Ysgythriad sgraffwrdd o Betsi Cadwaladr a Phen-rhiw yn y cefndir

Ysgythriad sgraffwrdd o Cae Glas, Croesor

Ysgythriad sgraffwrdd o Eglwys Llangar

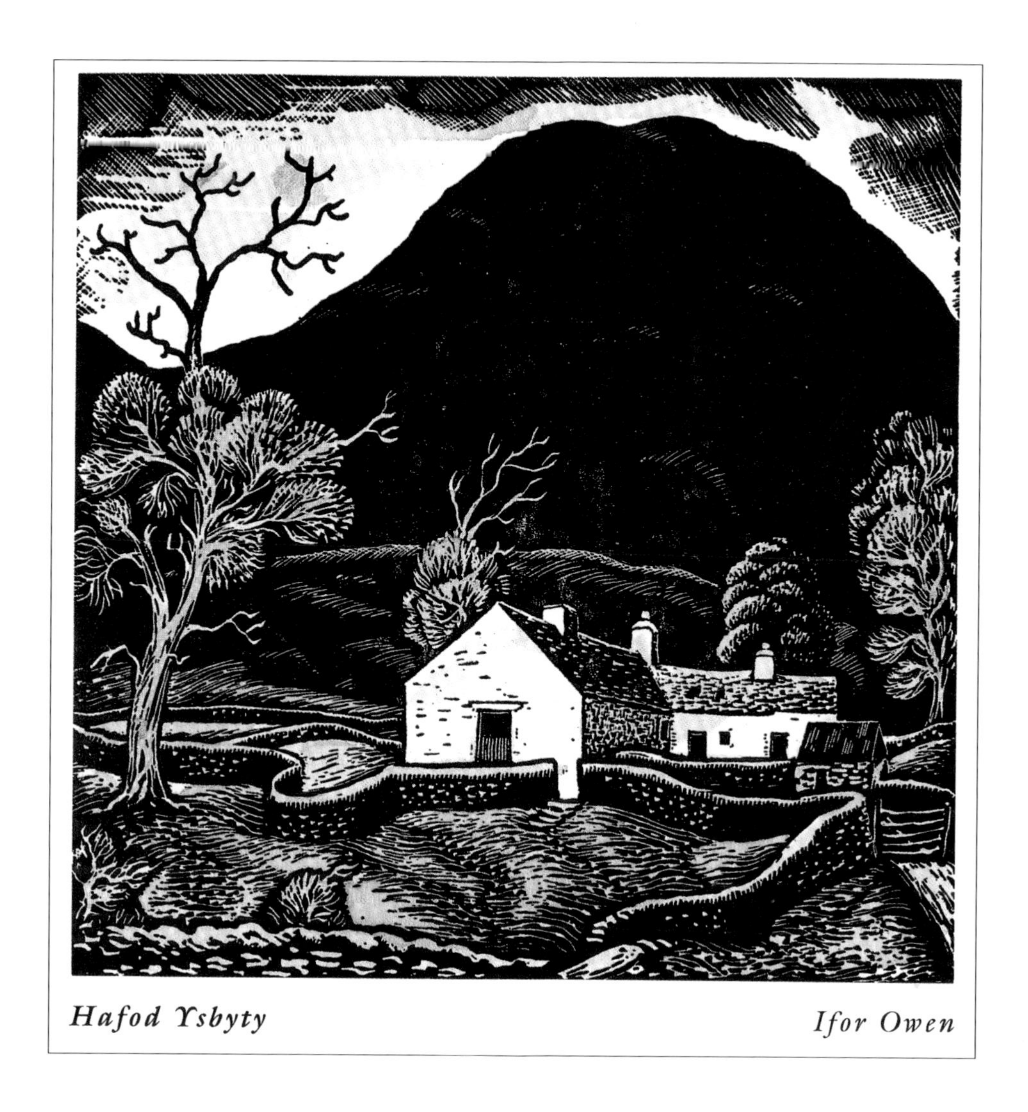

Hafod Ysbyty — *Ifor Owen*

Cyfres o ysgythriadau sgraffwrdd a ymddangosodd gyntaf mewn du a gwyn yn y cylchgrawn Meirionnydd

Ucheldre, Corwen

Lluniad pensil o'r Eglwys a'r Llan yn Llanuwchllyn

Llanuwchllyn *Ifor Owen*

Y Cnicht *Ifor Owen*

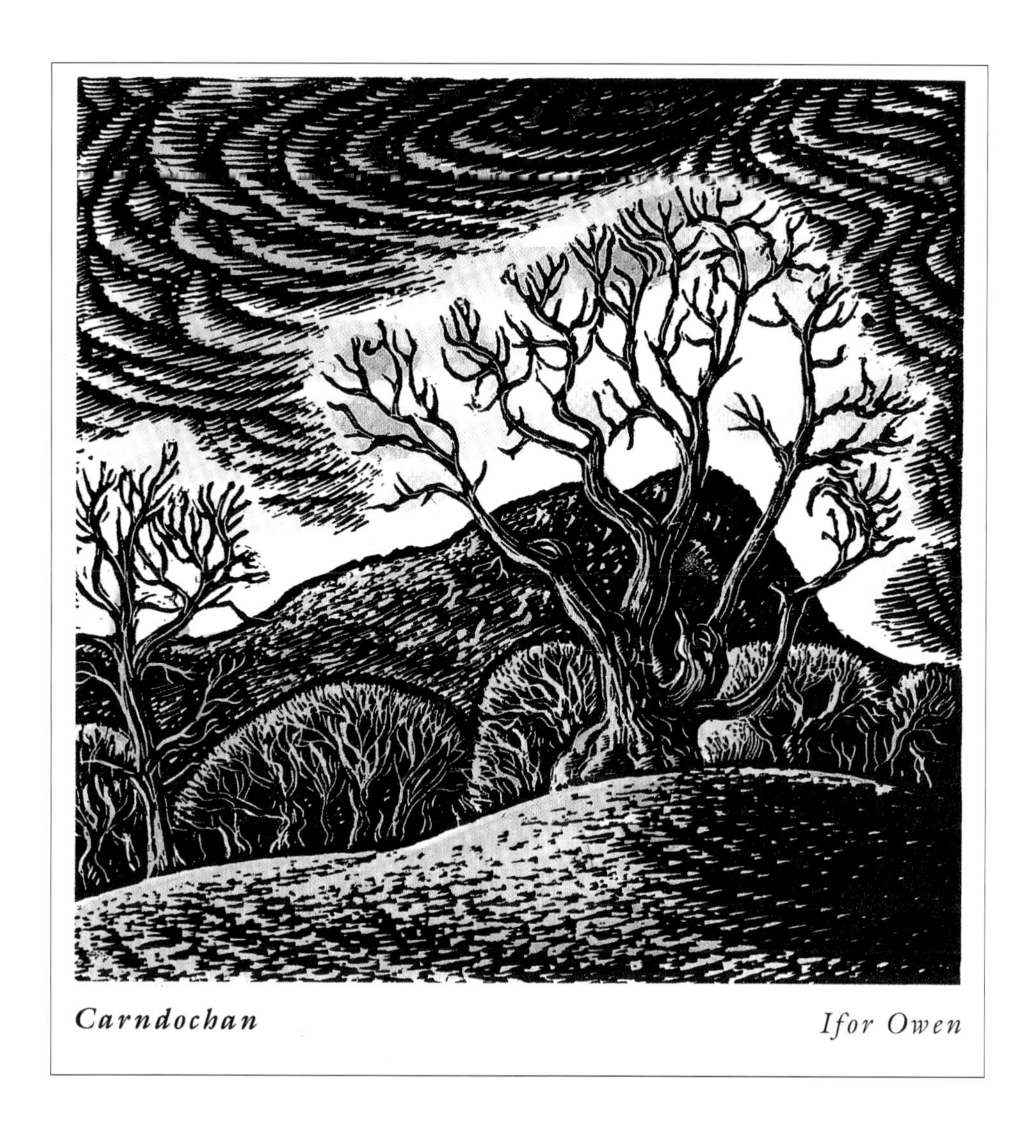

Carndochan, Llanuwchllyn

Llyn Tegid

Ysgythriad sgraffwrdd o dylluan Cwm Cowlyd o Welsh Legends

Clawr Welsh Legends *(1953)*

Mae testunau ei ysgythriadau yn ddieithriad bron yn dirluniau gyda chyfansoddiadau clasurol o fewn sgwâr. Er enghraifft, coeden ym mlaendir y llun yn fframio'r cyfansoddiad a'r llygad yn cael ei gyfeirio at ganolbwynt y llun sydd fel arfer ar yr "Adran Euraid" (The Golden Section) Mae'r lluniau hefyd yn llawn o ddyfeisiadau gweledol sy'n cyfrannu tuag at effeithiolrwydd y ddelwedd megis cydbwysedd rhwng du a gwyn neu ffurfiau negyddol a chadarnhaol, amlinelliad tywyll y mynydd yn erbyn gwawr olau'r gorwel a chlystyrau tywyll o ddail yn erbyn cymylau gwyn.

Yn aml gwnâi ddefnydd helaeth o weadau wedi eu ffurfioli i bwysleisio ffurf a rhediad y tir gan amrywio eu dwyster i greu cysgod a golau, ac mae'r defnydd helaeth o wead yn cyfrannu tuag at greu diddordeb ym mhob rhan o'r llun boed yn awyr neu dir.

Mae'n siŵr mae ei waith mwyaf trawiadol a chwmpasai'r holl agweddau oedd ei eglurluniau ar gyfer y llyfr **Welsh Legends** gan wasg Batsford.

Eglurlun sgraffwrdd Gwarchod Trysor Ifor Bach allan o 'Welsh Legends'

Eglurlun sgraffwrdd Cadwaladr allan o 'Welsh Legends'

Lluniad pensil o'r ddawns ar gyfer 'Welsh Legends'

Y ddawns allan o 'Welsh Legends'

Lluniad pensil ar gyfer 'Welsh Legends'

O flaen y tân allan o 'Welsh Legends'

Eglurlun sgraffwrdd y ddau farchog o 'Welsh Legends'

Cynlluniodd ddegau o siacedi llwch dros y blynyddoedd, yn eu mysg llyfrau megis **Merched y Môr** (T. Llew Jones), **Hunangofiant Tomi** (Tegla Davies) **Lois** (Elizabeth Watkin Jones) **Blodeugerdd Penllyn, Tannau'r Cawn** a'r **Pethe** (Llwyd o'r Bryn).

Ar droad y pedwardegau hyd at y chwedegau Ifor Owen ynghyd â Meirion Roberts a Mitford Davies oedd y tri dylunydd mwyaf cynhyrchiol ym myd llyfrau Cymraeg Mae'r byd dylunio wedi newid llawer dros y blynyddoedd diwethaf gyda dyfodiad y dechnoleg newydd. Mae cloriau llyfrau cyfoes yn aml yn seiliedig ar ddelweddau ffotograffig wedi eu haddasu gan gyfrifiadur. Tuedda hyn wneud y cloriau yn unffurf a digymeriad braidd. Roedd ôl llaw'r artist ar gloriau Ifor Owen a'i gyfoedion.

Mae gwaith celf Ifor Owen yn adlewyrchu cyfnod cyffrous yn hanes Cymru yn wleidyddol a diwylliannol. Yn ei gyfnod ef plannwyd hadau agweddau o fywyd Cymru a gymerir yn ganiataol heddiw. Bu'n gefnogwr brwd i Blaid Cymru ers y dechrau. Ymgyrchai mewn cyfnod lle cyfeiriwyd at aelod o'r "blaid fach" yn ddilornus fel "Welsh Nash" Rhoddodd ei ddawn gelfyddydol ar waith drwy gynllunio pamffledi a thaflenni i hyrwyddo'r achos. Erbyn heddiw beth bynnag yw tueddiadau gwleidyddol pobl mae Plaid Cymru yn blaid wleidyddol gredadwy sy'n haeddu ystyriaeth a phrin iawn yw'r lleisiau sy'n dadlau yn erbyn bodolaeth y Cynulliad yng Nghaerdydd.

Fel y tystia ei waith celf cymerodd ran weithredol yn un o ymgyrchoedd gwleidyddol mwyaf arwyddocaol yr ugeinfed ganrif sef ymgyrch yn erbyn boddi Cwm Tryweryn. Er i'r frwydr honno gael ei cholli bu'n gyfrwng i ddeffro'r cenedlaetholdeb a fu'n gyfrifol am wireddu llawer o freuddwydion ei genhedlaeth.

Drwy ei waith celf mae modd creu portread cynhwysfawr o Ifor Owen a dangos y berthynas glos rhwng y geiriau sydd ar ei garreg fedd ym mynwent Llanuwchllyn, Arlunydd, Hanesydd a Gwladgarwr.

Gareth Owen

DAFYDD AP GWILYM

UN O FEIRDD MAWR Y BYD.

Ganed tua 1320 ym Mro Gynin ger Aberystwyth. Ef yw un o'r beirdd mwyaf a gododd Cymru erioed ac yn ei ddydd ef oedd y bardd gorau yn y byd i gyd. Yr oedd y beirdd o'i flaen yn sôn am ryfeloedd ac yn canu mawl i frenhinoedd a thywysogion. Am adar a choed a dail y soniai Dafydd. Dyma fel y mae'n disgrifio cân y fwyalchen,

"Pell y clywir uwch tiroedd
Ei lef o lwyn a'i loyw floedd,"

Disgrifiodd yr eira mewn llinell dlos fel hon,

"Arian byw oera'n y byd."

Dywedodd mai'r sêr oedd,

"Canhwyllau'r Gŵr biau'r byd."

Yn y darlun y mae'n eistedd ar hen foncyff mewn llannerch ymysg y coed a garai mor fawr.

"Yn llawen iawn mewn llwyn ŵr."

Darn addysgiadol am Dafydd ap Gwilym o 'Hwyl'

Gwaith Celf

SIACED LWCH A DARLUNIO ODDI MEWN

Williams, D.J. **Cyfres chwedl a chân / gan D.J. Williams**. Aberystwyth : Gwasg Aberystwyth, 1936-7 Llyfr 1-4 (Rhai lluniau)

Thomas, Gwilym E. **Nic / gan Gwilym E. Thomas**. Aberystwyth : Gwasg Aberystwyth, 1937. Ac Ail Argraffiad Aberystwyth : Gwasg Aberystwyth, 1941.

Griffiths, E.T. **Yr hogyn pren : gan E. T. Griffiths ; darluniau gan Ivor Owen**. Dinbych : Gwasg Gee, 1938. Ac Ail Argraffiad Dinbych : Gwasg Gee, 1943.

Williams, D.J. **Llyfrau sillafu Cymraeg / D.J. Williams ; y darluniau gan Ivor Owen. Llyfr 1.** Aberystwyth : Gwasg Aberystwyth, 1938. A Llyfr 2, 3, a 4

Cyfres Aberystwyth Llyfrau darllen ychwanegol

Watkin-Jones, Elizabeth **Dina a chloc y gwcw / gan Elizabeth Watkin Jones ; y darluniau gan Ivor Owen ; golygydd: D. J. Williams.** Aberystwyth : Gwasg Aberystwyth, 1944. Gradd 1 rhif 1

Watkin-Jones, Elizabeth **Sali'n chwilio am waith / gan Elizabeth Watkin Jones ; y darluniau gan Ivor Owen ; golygydd: D. J. Williams.** Aberystwyth : Gwasg Aberystwyth, 1944. Gradd 1, rhif 2

Watkin-Jones, Elizabeth **Topsi'r gath ddu / gan Elizabeth Watkin Jones ; y darluniau gan Ivor Owen; golygydd: D. J. Williams. Aberystwyth** : Gwasg Aberystwyth, 1944. Gradd 1, rhif 3

Moelona **Tim / gan Moelona ; y darluniau gan Ivor Owen ; golygydd: D.J. Williams.** Aberystwyth : Gwasg Aberystwyth, 1947. Gradd 2, rhif 2

Williams, D.J. gol **Ystorïau cwta / golygydd D. J. Williams**. Aberystwyth : Gwasg Aberystwyth, 1943. Gradd 4

Meuryn **Yn nannedd peryglon / gan Meuryn ; golygydd: D.J. Williams.** Aberystwyth : Gwasg Aberystwyth, 1945. Gradd 5, rhif 2

Hudson-Williams, T. **Carcharor y Cawcasws / (Tolstoi) ; troswyd o'r Rwseg gan T.Hudson-Williams; golygydd: D. J. Williams**. Aberystwyth : Gwasg Aberystwyth, 1943. Gradd 5

Williams, W.S. Gwynn **Hwiangerddi Cymru = trefnwyd gan = arranged by W.S. Gwynn Williams; darluniau gan = illustrations by Ivor Owen**. Llangollen : Cwmni Cyhoeddi Gwynn, 1944.

Roberts, Gwladus **Hendre codi'n fore / gan Gwladus Roberts ; y darluniau gan Ivor Owen**. [Dinbych] : Gwasg Gee, [1946].

Williams, R Bryn **Straeon Patagonia : (i blant) / gan R. Bryn Williams**. [Aberystwyth] : Gwasg Aberystwyth, 1946.

Thomas, Gwilym E. **Nic oedd, Nic fydd / gan Gwilym E. Thomas**. Aberystwyth : Gwasg Aberystwyth, 1947.

Urdd Gobaith Cymru **Y llinyn arian : i gyfarch Urdd Gobaith Cymru**. Lerpwl : Gwasg Y Brython, 1947. (un llun)

Cyfres Grisiau'r Ysgol

Evans, Deilwen **Iesu Grist yr Athro / gan Dilwen M Evans; darluniau gan Ivor Owen** Abertawe: Pwyllgor Cydenwadol yr Ysgol Sul [1948] Cyfres Grisiau'r ysgol 2

Roberts, Nansi **Dyddiau Nasareth / gan Nansi Roberts ; darluniau gan Ivor Owen**. Abertawe : Pwyllgor Cydenwadol yr Ysgol Sul, [1948] Cyfres grisiau'r ysgol 3

Williams, D.J. **Dyddgwaith Iesu Grist : y pedwerydd gris / gan D.J. Williams ; y darluniau gan Ivor Owen.** Abertawe: Pwyllgor Cydenwadol yr Ysgol Sul, [1948]

Morgan, T.J. **Eisteddfod y Zw** Caerdydd: Llyfrau'r Castell 1948

Williams, J. Ellis **Gwningen fach : gyda'r darluniau gan Ivor Owen**. Blaenau Ffestiniog : Gwasg y Rhedegydd, 1950.

Jones, J.D. **Ffantasi i blant mewn tair drama fer : yn cynnwys canu, meimio a dawnsio gan J. D. Jones; trefnwyd y gerddoriaeth gan Mansel Thomas; [y darluniau gan Ivor Owen].** Aberystwyth : Gwasg Aberystwyth, 1951.

Parry Jones, Daniel **Welsh legends and fairy lore**. Llundain : Batsford, 1953. Llundain : Batsford, 1988. Efrog

Newydd : Barnes & Noble Books, 1992.
Watkin-Jones, Elizabeth Watkin **Lois / gan Elizabeth Watkin Jones**. Lerpwl : Gwasg y Brython, [1955].
Lloyd, Robert **Y pethe / gan Llwyd o'r Bryn** Bala, 1955
Evans, Gwynfor **Save Cwm Tryweryn for Wales** Abertawe : Gwasg John Penry, 1956
Pierce, Gwynedd O. (gol) **Triwyr Penllyn / [golygwyd gan Gwynedd Pierce**]. Caerdydd : Plaid Cymru, [1956]. (lluniau)
Jones, T. Llew **Merched y môr a chwedlau eraill : storiau gwerin / gan T Llew Jones ; darluniau gan Ivor Owen.** Aberystwyth: Gwasg Aberystwyth, 1958.
Davies, E. Tegla **Hunangofiant Tomi / gan E. Tegla Davies ; y darluniau gan Ivor Owen.** Arg. newydd. Bangor : Y Llyfrfa Fethodistaidd, [1960]
Thomas, Gwilym J. **Pedair nofel: darluniau gan Ivor Owen a R.H. Higham** Bala: Gwasg y Bala, 1961
Williams, John P. **Tomos William a'r gyfeillion / darluniau Ivor Owen**. Llandysul : Gwasg Gomer, 1965.
Wood, Trefor **Pethau o'n cwmpas**. Dinbych: Gwasg Gee, 1965.
Thomas, Morris **Pen yr yrfa : (nofel fuddugol Eisteddfod Genedlaethol Bangor, 1931) / gan Morris Thomas. / wedi ei diwygio ar gyfer argraffiad newydd gan W. Rhys Nicholas.** Llandysul : Gwasg Gomer, 1969.
Thomas, E. H. Francis, **Hyd eithaf y ddaear : a storiau eraill.** Llandysul : Gomer, 1972.

SIACEDI LLWCH/CLAWR
Evans, Gwynfor **The political broadcasts ban in Wales.** Caerdydd : Plaid Cymru, 1955.
Edwards, John **Y bobl beryglus / John Edwards. Lerpwl** : Gwasg y Brython, 1956.
Evans, Gwynfor **Our three nations : by Gwynfor Evans ...** [**et al.**]. [Caerdydd] : Plaid Cymru, [1956].
Jones, G. Arthur **Bywyd a gwaith Owen Morgan Edwards 1858-1920 / gan Gwilym Arthur Jones**. Aberystwyth : Cwmni Urdd Gobaith Cymru, 1958.
Roberts, T. Lloyd **Life was like that / by T.Lloyd Roberts.** Bala : A. J. Chapple (Bala Press), [1963]
Lloyd, D.Tecwyn **Tannau'r cawn / William Jones ; wedi eu dethol gan D. Tecwyn Lloyd.** [Dinbych] : Gwasg Gee, 1965.
Lloyd Evans, Trebor **Diddordebau Llwyd o'r Bryn / casglwyd a golygwyd gan ei nai Trebor Lloyd Evans.** Abertawe : Gwasg John Penry, 1966.
Richards, Brinley **Cerddi'r dyffryn.** Abertawe : Gwasg John Penry, 1967.
Jones, R.Emyr **Y frwydr / gan R. Emyr Jones**. Bala : Llyfrau'r Faner, 1968.
Jones, Morus, **Dros gors a gwaun : cyfrol o farddoniaeth / Morus Jones, Porthmadog** : Tŷ ar y graig, 1969.
Lloyd, D.Tecwyn **Lady Gwladys a phobl eraill / D. Tecwyn Lloyd**. Abertawe : Gwasg John Penry, 1971.
Griffith, R.E. **Urdd Gobaith Cymru / R.E. Griffith. Cyfrol 1, 1922-1945.** Aberystwyth : Cwmni Urdd Gobaith Cymru, 1971.
Ap Lewys, Edgar **Crwydro Swydd Kerry = Ag taisteal gCiarrai / Edgar Ap Lewys.** Y Bala : Llyfrau'r Faner, 1972.
Jenkins, Dafydd **Tân yn Llŷn** Plaid Cymru, Caerdydd 1975
Thomas, W.J. **Ffa'r corsydd : W.J. Thomas**. Caernarfon : Llyfrfa'r Methodistiaid Calfinaidd, 1979.
Griffiths, Bruce (gol) **Gwerin-eiriau Maldwyn / gan David Thomas ...** [**et al.**] **; golygwyd gan Bruce Griffiths.** Penrhosgarnedd : Llygad yr Haul, 1981.
Edwards, Elwyn (gol) **Blodeugerdd Penllyn / golygydd: Elwyn Edwards.** Cyhoeddiadau Barddas, 1983.
Jones, Moses Glyn (gol) **Blodeugerdd Llŷn/golygydd: Moses Glyn Jones** Cyhoeddiadau Barddas, 1984
Jones, Cyril (gol) **Blodeugerdd Bro Ddyfi/golygydd Cyril Jones** Cyhoeddiadau Barddas, 1985
Lloyd, D. Tecwyn **John Saunders Lewis. Cyf. 1 / D. Tecwyn Lloyd ; gyda chyflwyniad gan yr Athro J. E. Caerwyn Williams.** Dinbych : Gwasg Gee, 1988.
Williams, Cathrin **Edau Gyfrodedd Detholiad o waith Irma Hughes de Jones. Wedi ei olygu gyda Rhagymadrodd gan Cathrin Williams** Gwasg Gee, Dinbych, 1989
Roberts, Guto (gol) **Tom Jones Llanuwchllyn : teyrngedau.** [Llanuwchllyn] : Pwyllgor Cofio Tom Jones Llanuwchllyn, 1991.
CYLCHGRONNAU
Hwyl 1949-89.
Y Nomad (Golygydd am gyfnod a chyfrannwr clawr a lluniau)

Meirionnydd (Cylchgrawn yr Urdd ym Meirionnydd 1946 – 1967 cyfrannwr clawr a lluniau 1949-1967 Cyd-olygydd)
Y Fflam Y Bala : Gwasg y Fflam, 1946-1952. (Clawr)
Lleufer (Cylchgrawn Cymdeithas Addysg y Gweithwyr yng Nghymru (clawr)
Y Goleuad (Pasg 1995) darlun blaen a cherdd
Y Gwyliedydd(Rhagfyr 1987) darlun blaen a cherdd
Y Wawr Rhifyn y Dathlu 1992 (clawr); Gaeaf 1994 (llun camera ar y clawr); Haf 1994 (llun camera ar y clawr)
Cronicl o Hanes Cryno (The Meirionethshire Farmer) Undeb Amaethwyr Cymru Undeb yr Amaethwyr, Cangen Meirion, 1950- (clawr)

RHAGLENNI
Rhaglen Celf a Chrefft Eisteddfod Genedlaethol Dolgellau 1949 (clawr)
Rhaglen Eisteddfod Genedlaethol Dolgellau 1949 (clawr)
Rhaglen Swyddogol Eisteddfod Powys 1951 (clawr)
Rhaglen Pasiant Plant y Beibl 1959
Rhaglen Cymdeithas Hen Fechgyn Ysgol Ramadeg y Bala 1712-1964 (clawr)
Rhaglen Celf a Chrefft Eisteddfod Genedlaethol Y Bala 1967 (clawr a rhagair)
Rhaglen Eisteddfod Jiwbili'r Urdd 1922-1972 Y Bala (clawr)
Pamffled Sasiwn y Gogledd 1973 Gwahoddiad – (cynllun y clawr)
Rhaglen Gŵyl Gerdd Dant y Bala 1984 (clawr a thystysgrif)
Rhestr Testunau Gŵyl Ddrama Powys 1991 (Y Bala) – (clawr)
Rhaglen y Dydd Eisteddfod Powys 1991 (Y Bala) (clawr)
Rhestr Testunau Eisteddfod Powys 2005 (clawr)
Rhaglen Cymdeithas y Beibl (7fed Jiwbili) – (clawr a lluniau)
Rhaglen Côr Merched Uwchllyn yn yr Alban (clawr)

AMRYWIOL
Tocyn Noddwr Eisteddfod Gadeiriol Llanuwchllyn
Tystysgrifau, ee Tonic Sol Ffa Gŵyl yr Ysgol Sul
Pamffled Dathlu Cyfieithu'r Beibl 1588-1988 (clawr a lluniau)
Medal i Adran Gogledd Cymru Cymdeithas y Milfeddygon
Cynllunio Giat y Fynwent Llanuwchllyn
Cynllunio Plac R. Williams Parry yn Neuadd y Sarnau
Cynllun Papur Menyn Bro Tegid (Hufenfa Meirion)
Adroddiad Cyngor Gwlad Meirion (clawr)
Y Gilfach Goffa (cynllun a gwybodaeth)
Calendr Eisteddfod yr Urdd 1994 (darluniau a chynllun clawr)
Tystysgrif i aelodau o Blaid Cymru a wrthododd ryfela (1955)
Adroddiad Blynyddol Hufenfa Meirion (clawr)
Logo Aduniad teuluol teulu Foulke
Crys T teulu'r Foulke
Logo Ysgol O.M. Edwards
Clawr record Bob Roberts Tai'r Felin
Clawr record **Yng nghwmni Bob Owen Croesor** (llun camera)
Cynllun Medal Sioe Gŵn Defaid
Calendr i Farmers Marts
Clawr Fideo a rhaglen 'Er Mwyn Yfory'

Yr Arlunydd Trwy Lygad Arlunydd

Profiad arbennig i mi oedd gweld casgliad cyflawn o greadigaethau celfyddydol y diweddar Ifor Owen Llanuwchllyn. Eisoes roeddwn yn ymwybodol o Ifor Owen fel dylunydd proffesiynol oherwydd safon ei waith ym myd dylunio cloriau llyfrau, eglurluniau ar gyfer storïau, llyfrau plant a'r comic HWYL ac ati. Mae'r cyfan wedi bod yn gyfraniad gwerthfawr iawn i'r Gymru Gymraeg. Tra roeddwn yn fyfyriwr yng Ngholeg Celf Lerpwl, bûm yn ffodus o'i glywed yn beirniadu celf mewn eisteddfod leol yn Llanuwchllyn. Roedd yn trafod mynegiant a rhai elfennau celfyddyd, megis ansawdd, tôn, llinell, lliw, rythm a phatrwm y peintiadau dan sylw. Er bod beirniadaeth o'r fath yn gyffredin yn y celfyddydau eraill, megis cerddoriaeth a llenyddiaeth yn lleol, dim ond cyfeirio at y grefft o gopïo, dynwared a phersbectif oedd disgwyliadau beirniaid mewn celfyddyd gain am ryw reswm adeg hynny. Er mor ymwybodol oeddwn o Ifor Owen fel dylunydd ac fel beirniad, nid oeddwn mor ymwybodol o safon arbennig rhai argraffiadau o dirluniau yr oedd wedi eu creu, megis cartrefi enwogion, coed, adar ac ati. Y gwir yw bod y goreuon o'r argraffiadau hynny yn hynod, yn hudol eu naws. Maent yn enghreifftiau arbennig o gelfyddyd gain wedi eu creu drwy ddulliau ysgythru pren neu scraffwrdd.

Ysgythriad sgraffwrdd – Craig y Deryn

Gadewch i ni edrych ar rai ohonynt. Er mai eglurlun ar gyfer stori 'Yr Eryr a'r Dylluan' yw'r argraffiad 'Tylluan Cwm Cowlyd' (ar dudalen 63) , gwelir fod yr eglurlun yn un hynod o ddeniadol i blant. Gwelir fod ansawdd hudol i batrwm y cyfanwaith. Er enghraifft, sylwer ar fynegiant llygaid y dylluan a rhythm canghennau'r dderwen yn y blaendir ynghyd â golau'r lleuad a'r cymylau sy'n troelli o'i chwmpas, gyda chynnwrf ar wyneb y llyn islaw.

Mae rhai o'r tirluniau hyd yn oed yn fwy dramatig. Yn y darlun 'Craig y 'Deryn'. Gwelir rhythmau toriadau geirwon ar wyneb y graig yn y cefndir, tra islaw gwelir olion cerrig mân llwm. Fel cyferbyniad i'r llymdra, gwelir mwynder y tirlun gyda choeden luniaidd ar y chwith a blodau deniadol gobeithiol yn y blaendir.

Er ei bod yn amlwg drwy edrych ar y ddau ddarlun olaf, sef 'Carndochan' (tudalen 64) ac 'Afon Mawddach a'r Ganllwyd' (tudalen 74) eu bod wedi eu hysbrydoli drwy syllu ar y tirlun o'i flaen, noder bod yr artist yn y cyswllt hwn wedi dethol ei linellau a'i siapiau yn ofalus. Mae hyd yn oed wedi eu symleiddio, sef wedi ymgolli yn llwyr ym mynegiant ffurfiau'r coed a'r cymylau ac ati. Yn y tirlun o 'Garndochan', gwelir fod y cynnwrf mwyaf yn y llun yn llinellog, sef y cymylau sy'n ffurfio yn yr awyr uwchben, ynghyd â'u cysgod sydd i'w weld ar y bryncyn yn y blaendir. Eto, noder fod tirlun 'Afon Mawddach a'r Ganllwyd' yn llawn cynnwrf rhythmig, sef y cymylau a rhythm amrywiol dŵr rhedegog yr afon islaw, gyda thirlun o fryniau a choed tywyll yn gyferbyniad yn y cefndir. Mae'r cynnwrf

Ysgythriad sgraffwrdd – Afon Mawddach yn y Ganllwyd

patrymog ac amrywiol, a'r cyferbyniad rhwng tywyllwch a goleuni, yn nodweddiadol o dirluniau mwyaf arbennig Ifor Owen.

Drwy grisialu nodweddion amlwg ei ddarluniau, mae rhywun yn dechrau ystyried pa ddylanwadau fu arno, ac eto yn cydnabod bod gan Ifor ei arddull unigryw. Yna, gwelais fod llyfrau enwog gwasg, 'The Golden Cockerel Press', sy'n cynnwys eglurluniau arbennig iawn gan arlunwyr enwog, yn rhan o'r casgliad a dderbyniais, oherwydd bod yr eglurluniau hynny yn cael eu trysori gan Ifor Owen. Gellir dadlau fod dylanwad awyrgylch, golau a thywyllwch, lluniau John Petts ynghyd â phatrymau lluniau gan artistiaid megis John Buckland i'w gweld yng ngwaith cynnar Ifor. Yna, fe sefydlodd ei arddull ei hun.

I gloi, dymunaf gyfeirio at y dystysgrif (gweler tudalen 51) sef un enghraifft o waith dylunio Ifor Owen, sydd nid yn unig yn datgelu ei allu arbennig i ddylunio, llythrennu ac arlunio ond hefyd er mwyn dangos ei fod yn wladgarwr gydag argyhoeddiadau cryf a chadarn. Noder yr hysbyslen ganddo ar ran Plaid Cymru i aelodau wneud safiad hyd garchar yn erbyn gorfodaeth filwrol ar Gymru. Gwn mai llafur cariad oedd llawer o'r gwaith arlunio a wnaed gan Ifor, oherwydd ei gariad at Gymru a'i thirlun a'i hiaith, a hynny heb fod yn sentimental.

Pleser ac anrhydedd i mi oedd edrych drwy gasgliad o waith arbennig Ifor Owen fel arlunydd.

John Meirion Morris

YR YMGYRCHYDD

Dychmygwch yr olygfa. Mae hi'n oriau mân y bore mewn pentref gwledig a chriw o ugain yn cerdded ar hyd y stryd yn cadw reiat. Drwm gan un, eraill yn curo drysau a chodi pobl o'u gwelyau. Lwcus iawn nad oes plismon yn trigo yng nghefn gwlad bellach neu mi fyddai wedi bod yn helynt. Ac yng nghanol y dyrfa swnllyd mae un hen ŵr, dros ei bedwar ugain, yn ymuno yn y reiat hwyliog. Ie, Ifor Owen oedd y gŵr hwnnw yn cydlawenhau gyda rhai chwarter ei oed yn dilyn canlyniad y Refferendwm ar ddatganoli yn 1997. Nid dyna steil arferol cyn brifathro Llanuwchllyn, ond ar ôl oes o ymgyrchu fel cenedlaetholwr mae'n siŵr fod y fuddugoliaeth o drwch blewyn, a Chymru'n cymryd cam bychan bach tuag at hunan barch, wedi bod yn arbennig o felys iddo. Ac mae hi'r un mor siŵr ei fod o'r bore hwnnw, wedi cofio am lawer o'i gyd ymgyrchwyr fyddai wedi rhoi'r byd am fod yno yn rhannu ei orfoledd.

Mae'r digwyddiad yn amlygu rhywbeth am Ifor Owen, sef ei frwdfrydedd, a'i afiaith. Nid iau ar ei war oedd Cymreictod na chenedlaetholdeb iddo fo, ond ffordd o fyw a hwnnw'n fyw llawn hwyl ac asbri. Ond roedd o'n gwybod yn iawn fod ei ymrwymiad i'w wlad a'r 'pethe' yn golygu bod yn rhaid sefyll yn gadarn, gweithio yn ymarferol ac o dro i dro fod yn barod i ddadlau ei achos yn gyhoeddus. A dyna wnaeth y polymath hwn o Gymro.

Cenedlaetholwr a Heddychwr

Etholiad 1959 canfaswyr yn y Bala – W. D Williams, Gwenan Meirion Jones, Nia Meirion Jones, Jinnie Jones, Jessie Roberts, Gwen Roberts, Gwynfor Evans, Ifor Owen, Meirion Roberts, Dafydd Iwan a Huw Ceredig.

Un o arwyr Ifor Owen oedd Gwynfor Evans, ac ymhlith ei bapurau mae nifer o lythyron gan Gwynfor yn cydnabod cyfarchion. Tra bu Gwynfor Evans yn ymgeisydd y Blaid ym Meirion yn y 50au bu Ifor Owen yn frwd ac yn gadarn ei gefnogaeth. Yn ei hunangofiant **Bywyd Cymro** (Gwasg Gwynedd 1982) mae cyfeiriad ato'n mynd i aros o dro i dro i dŷ'r cymeriad byrlymus a'r hanesydd Bob Owen, Croesor. *"Pan awn yno ar ôl un o gyrddau'r Blaid a drefnai Ifor Owen yng Nghroesor, cawn Mrs Owen fawr ei chroeso yn llywyddu'n siriol dros ei lyfrgell o dŷ."* Ac wrth gwrs rydym yn sôn am gyfnod pan nad oedd ennill etholiad ond breuddwyd gwrach i'r Blaid. Ar Fai 5, 1961, ac yntau newydd ymddiswyddo fel ymgeisydd y Blaid ym Meirion ac yn dilyn cyfnod tymhestlog Tryweryn a siom canlyniad etholiad 1959, mae Gwynfor Evans yn ysgrifennu at Ifor Owen ac yn diolch iddo am anfon gair *"mor eithriadol o garedig .... Mae'r weithred yn nodweddiadol o'r cyfeillgarwch hael a gefais gennych trwy'r blynyddoedd."* Dychwelwn at stori Tryweryn yn nes ymlaen.

Yn dilyn Refferendwm ac Etholiad 1979 mae Ifor Owen yn anfon gair i gydymdeimlo â Gwynfor Evans sy'n cynnwys geiriau cryf am sylwadau beirniadol Saunders Lewis.

"Diolch i chwi am eich holl wasanaeth i Gymru a gwn nad yw hwnnw ar ben o bell ffordd. Ni all neb fesur y gwasanaeth hwnnw, yn sicr ni all yr hen ŵr anghyfrifol o Benarth sydd allan o gysylltiad â gwleidyddiaeth Cymru ers dwy genhedlaeth .... Trueni iddo ymddwyn mor ffôl ... ... "

Dydi'r geiriau hallt ddim yn nodweddiadol ond maen nhw'n arwydd o edmygedd aruthrol Ifor Owen o Gwynfor.

Ymateb graslon Gwynfor oedd *"Braf iawn oedd derbyn eich llythyr cynnes a chalonogol. Er mor llym dyfarniad yr etholwyr ni thorrodd neb ei galon yma."*

Roedd cenedlaetholdeb Ifor Owen a Gwynfor yn tarddu o'r un gwraidd a'r un cefndir diwylliannol;

doedd dim rhagfur rhwng eu gwlatgarwch, eu crefydd, eu diwylliant na'u heddychiaeth. Fel Gwynfor cofrestrodd Ifor Owen fel gwrthwynebydd cydwybodol ac mae nodyn gan y "Ministry of Labour and National Service" yn cydnabod ei gais; a nodyn arall yn nodi Ebrill 9, 1946 fel dyddiad gorffen ei gyfnod fel gwrthwynebydd cydwybodol. Roedd Ifor Owen yn ddyn o egwyddor ac yn fodlon sefyll yn gadarn o blaid yr egwyddorion hynny.

Fel troed nodyn i hyn mae'r llythyron o'r Weinyddiaeth yn cofnodi ei enw fel Ivor Owen [gyda "v"] Siop Goch, Croesor. Ond mae nodyn mewn inc gan swyddog o'r enw W R Owen yn sillafu ei enw gyda "f". Mae Ifor Owen ei hun yn y cyfnod hwn yn defnyddio'r ffurf Saesneg, ond gyda threigl y blynyddoedd diorseddwyd y "v" yn gyfan gwbl gan y ffurf Gymraeg. Arwydd bach mae'n debyg o'r ffordd y daeth y Cymry Cymraeg yn ymwybodol o'r Seisnigeiddio graddol a goddefol a ddigwyddasai dros y canrifoedd.

Pan benderfynodd y Weinyddiaeth Ryfel sefydlu gwersyll milwrol yn Nhrawsfynydd ym 1951 bu Gwynfor, Dr Tudur Jones ac eraill yn ymgyrchu yn ei erbyn. Rhwystrwyd trafnidiaeth i'r safle trwy eistedd yn y ffordd. Roedd Ifor Owen, a oedd yn brifathro ifanc ar y pryd, ymysg y criw dewr a phenderfynol.

Nid ceffyl blaen oedd Ifor Owen mewn gwleidyddiaeth. Does dim arwydd bod ganddo uchelgais o gwbl i'r cyfeiriad yma ond mae'n amlwg ble roedd o'n sefyll a bod parch tuag ato fel y tystia llythyron Gwynfor. Yn dilyn cyfnod Gwynfor Evans fel ymgeisydd y Blaid daeth "gobaith mawr y ganrif" i'w olynu ym Meirion, sef Elystan Morgan. Dwi'n ei gofio yn cyfareddu llond y neuadd bentref yn

Protest Trawsfynydd – y criw fu'n protestio i geisio atal y fyddin rhag defnyddio tiroedd Trawsfynydd fel gwersyll milwrol ym 1951.

Llanuwchllyn yn ystod etholiad 1963. Siom enfawr fu'r canlyniad serch hynny a phenderfynodd Elystan adael y Blaid ac ymuno â'r Blaid Lafur. Mae'n anodd gwerthfawrogi cymaint o ergyd fu'r penderfyniad i Bleidwyr y cyfnod. Wrth ymddiswyddo ysgrifennodd Elystan Morgan at nifer o Bleidwyr blaenllaw, a hynny yn bersonol, ac un o'r rhain oedd Ifor Owen. *"Gan y bydd y newydd yn siom i chwi fel un o arweinwyr y Blaid ym Meirion. ... . Af i'r Blaid Lafur fel cenedlaetholwr gyda'r bwriad o fod yn ddigymrodedd dros Gymru."* Yna mae'n ychwanegu brawddeg, *"Diolch i chwi am eich amryw gymwynasau personol ar ben yr holl waith godidog a wnaethoch ynglŷn â'r achos mawr y byddwn o hyd yn parhau i'w wasanaethu."*

Roedd hwn yn gyfnod llwm a digalon i genedlaetholwyr Meirion yn dilyn chwalu'r gobeithion uchel am Gwynfor yn gyntaf ac yna Elystan. Roedd etholiad arall ar y gorwel a Phwyllgor yr Etholaeth yn chwilio am olynydd. Mae'n amlwg iddyn nhw droi at brifathro Llanuwchllyn oherwydd ar Chwefror 17, 1966 mae'n anfon at yr Ysgrifennydd, *"Diolch yn fawr ... i Aelodau y Pwyllgor Rhanbarth am iddynt ddangos cymaint o ffydd ynof a chynnig i mi y fath anrhydedd".*

"Rwyf wedi meddwl llawer uwchben eich cynnig, ac wedi dod i'r casgliad na allaf yn onest ei dderbyn".

Mewn paragraff dadlennol mae'n dangos yn glir sut yr oedd yn synio amdano'i hun a'i gyfraniad.

"Credaf y dylai Ymgeisydd Seneddol fod o leiaf yn Greadur Politicaidd ac awydd ganddo dreulio gweddill ei oes mewn gwleidyddiaeth, a bod yn barod, pe digwyddai'r Wyrth Fawr, i gymryd ei le ym mrwydrau San Steffan. Ni allaf i dan unrhyw amgylchiadau ddychmygu fy hunan yn gwneud hynny ..... mewn meysydd eraill y medraf i wneud fy nghyfraniad bychan i gadw Cymru'n fyw."

O na fyddai pawb mor onest; ond nid "bychan" fu ei gyfraniad. Diddorol a dadleuol ydi'r geiriau "y Wyrth Fawr" o gofio bod ei gyfaill Gwynfor yn mynd i ennill isetholiad Caerfyrddin o fewn y flwyddyn, a'r Blaid yn cipio Meirion o fewn degawd.

Tryweryn

Symudodd yr Oweniaid o Wyddelwern i Lanuwchllyn yn 1953. Yn fuan iawn y prif bwnc trafod oedd bwriad Cyngor Lerpwl i foddi Cwm Celyn gerllaw. Dyma'r frwydr a ddiffiniodd wleidyddiaeth y Blaid am ddegawd a mwy. Roedd Ifor Owen yn rhan ohoni. Dangosodd Tryweryn pa mor ddiamddiffyn yr oedd Cymru yn wleidyddol ond does dim dadl fod y frwydr wedi dangos diffyg soffistigeiddrwydd a synnwyr gwleidyddol o fewn y Blaid hefyd.

Yn Hydref 1955 roedd yr Henadur Frank H Cain yn dweud wrth Bwyllgor Dŵr Lerpwl am y cynlluniau i greu argae yng Ngogledd Cymru. Ym mis Mawrth 1956 ffurfiwyd Pwyllgor Amddiffyn yn dilyn cyfarfod yng Nghelyn gyda'r Cynghorydd Dafydd Roberts, Cae Fadog yn Gadeirydd.

Etholwyd dau o Lanuwchllyn ar y pwyllgor sef Emrys Bennett Owen ar ran Cyngor Dosbarth Penllyn a'r Parch Gerallt Jones ar ran y Cyngor Plwyf. Ym mis Gorffennaf gofynnodd y Pwyllgor am ganiatâd Ifor Owen a'i gyfaill a'i gyd brifathro o'r Bala, Mr Meirion Jones i ddefnyddio pabell y comic **Hwyl** yn yr Eisteddfod Genedlaethol er mwyn casglu enwau pobl i gefnogi'r ymgyrch yn erbyn y boddi. Digwyddodd hynny yn Eisteddfod Pwllheli 1956 a chyfetholwyd y ddau brifathro ar y Pwyllgor Amddiffyn.

Does dim manylion am ran Ifor Owen yn y gweithgareddau. Aeth o ddim ar y brotest i Lerpwl ond mae yn bresennol yn stiwdio Granada ar gyfer y rhaglen ar Dryweryn yn Nhachwedd 1956, o'r enw Under Fire. Yn ôl prif hanesydd stori Tryweryn, Einion Thomas o Brifysgol Bangor *"roedd aelodaeth y pwyllgor yn eang ac yn ymgais i gael cymaint o gefnogaeth a phosib gan wahanol gyrff a chynghorau. Ni*

Llun o drigolion Tryweryn aeth i stiwdio ym Manceinion i recordio 'Under Fire'. Gwelir Ifor Owen yn eistedd yng nghanol y llun, a fo oedd yn gyfrifol am y poster yn dangos y gwydred o ddŵr yn y cefndir.

fynychodd y rhan fwya' o'r rhai a enwyd yr un cyfarfod o'r Pwyllgor". Diddorol.

Yn ôl Einion Thomas roedd J E Jones, Ysgrifennydd Cyffredinol Plaid Cymru, yn cynghori ysgrifenyddes y Pwyllgor Amddiffyn yn y dirgel. Sefydlodd y Blaid bwyllgor cysgodol gyda'r bwriad o ehangu'r brotest i fod yn un genedlaethol. Yng nghartref Meirion Jones y cyfarfu'r grŵp hwn gyntaf ar Fai 19, 1956 ac roedd Ifor Owen yn bresennol. Prin a bratiog yw cofnodion y grŵp ond cytunwyd y dylid gorymdeithio yn Lerpwl ym mis Gorffennaf. Ddigwyddodd hynny ddim tan fis Tachwedd a phobl Celyn oedd yno ar wahân i Gwynfor a'r Parch Gerallt Jones; ond Ifor Owen fu'n gyfrifol am lunio a chreu'r posteri trawiadol.

Ym mis Medi 1957 penderfynodd y Pwyllgor Amddiffyn wneud cais i'r Frenhines ar ran trigolion Capel Celyn a pharatowyd y cais yn artistig gan Ifor Owen a'i arwyddo gan 66 o drigolion Capel Celyn.

Mae'n amlwg nad oedd fawr o awydd o fewn canghennau'r Blaid yn lleol i greu cynnwrf cyhoeddus ond mae enw Ifor Owen yn ymddangos eto ymhlith grŵp bach a sefydlwyd yn nechrau 1959 i ystyried gweithredu yn oddefol yn Nhryweryn. Ond mewn nodyn at JE oedd unwaith eto yn cydlynu'r pethau dywedir *"nad yw'r pwyllgor rhanbarth yn meddwl y dylid gwneud dim yn awr"*. Ennill Meirion yn yr Etholiad Cyffredinol oedd y nod ond siom a gafwyd.

Nid dyma'r lle i drafod agweddau cenedlaetholwyr at yr hyn ddigwyddodd yng Nghwm Celyn ond mae llythyr Gwynfor at Ifor Owen yn dilyn ei ymddiswyddiad fel ymgeisydd yn ddadlennol *"Gwyddoch fy mod wedi credu y dylem "weithredu" yno yn y gorffennol a buoch yn bresennol mewn mwy nag un cwrdd lle y cyflwynais gynlluniau ....*" Yna mae'n nodi dau reswm pam na fu gweithredu *"(i) nid oedd modd cynllunio gweithred a fyddai'n ennill cefnogaeth pobl Cymru a (ii) yr oeddwn yn y lleiafrif. (Ym) Meirion ... nid oes dim cefnogaeth i'r syniad o "weithredu'n" anghyfreithlon ...."* Dadlennol iawn!

Y lluniad pensil gwreiddiol o Bob Roberts, Tai'r Felin

Brwydrau Darlledu

"Cyfathrebu" ydi un o eiriau mawr ein hoes, a hynny pan mae llai a llai o gyswllt go iawn rhwng pobl a'i gilydd. Cyfathrebwr greddfol oedd Ifor Owen yn ei waith gyda phlant ac yn y gymdeithas ehangach. Roedd o'n deall hefyd arwyddocâd cymdeithasol y datblygiadau technegol ym myd radio a theledu a'u dylanwad ar frwydrau unigolion ac ar hynt a helynt y Gymraeg fel iaith cymunedau.

Pamffled 'Save Cwm Tryweryn for Wales' – gwaith Ifor Owen yw'r gwaith celf i gyd

Hynny a'i harweiniodd i ganol yr ymgyrchu dros ehangu'r Gymraeg ar y cyfryngau torfol. Yr arwydd cyntaf yw gwys i ymddangos gerbron Llys Ynadon y Bala ar Orffennaf 9, 1955 *"at ten-thirty in the forenoon"*. Y cyhuddiad, yn uniaith Saesneg wrth gwrs, oedd bod *"Ivor Owen of Tŷ'r Ysgol, Llanuwchllyn, Meirionethshire ..... did unlawfully use apparatus for Wireless Telegraphy without a licence ..... "* Difyr yw nodi mai'r erlynydd oedd "David Ffrancon Williams, Head Postmaster, Corwen ...". Dyna oedd datganoli ynte. Ymgyrch dros gael rhagor o raglenni Cymraeg ar y radio oedd hon.

Does dim cofnod o'r hyn ddigwyddodd na'r hyn ddywedwyd ond mae'n deg credu mai'r un dadleuon a gyflwynwyd 18 mlynedd yn ddiweddarach fel rhan o'r dadlau dros sianel deledu Cymraeg. Ar ôl derbyn rhybudd nad oedd wedi codi trwydded deledu fis Ebrill 1973 mae Ifor Owen yn anfon at yr awdurdodau gan nodi ei fod yn un o nifer sydd wedi peidio talu *"er mwyn tynnu sylw at yr*

Pamffled am y gwaharddiad ar ddarllediadau gwleidyddol yng Nghymru a ddyluniwyd gan Ifor Owen

anghyfiawnder y mae Cymry Cymraeg a Chymry Di-Gymraeg yn ei ddiodde' parthed y ddarpariaeth ... ar y Teledu". Diwedd y gân oedd ymddangos gerbron Llys Ynadon y Bala ar Orffennaf 7, 1973. Cadeirydd y Fainc y diwrnod hwnnw oedd y Cynghorydd Tom Jones, Llanuwchllyn - y ddau yn adnabod ei gilydd yn dda.

Mae araith Ifor Owen yn y llys yn feistrolgar. Mae'n llawn angerdd ond hefyd yn rhesymegol eglur ac yn gwbl nodweddiadol mae'n gosod y cyfan mewn cyd-destun rhyngwladol. *"Ond yw'n drist, gyfeillion, fod holl egni'r Genedl Gymreig yn cael ei wastraffu wrth geisio sicrhau amodau sylfaenol ei bywyd a'i pharhad yn hytrach nag i fyw y bywyd llawn dan amodau a ystyrir yn hawl gwaelodol pob Cenedl War Rydd".*

Mae'n mynd ati yn ofalus i gyfiawnhau'r tor cyfraith *".... Fe ddaw amser yn hanes pob oes ... pan elwir ar rai pobl i dorri'r gyfraith yn fwriadol. A ... dim ond pobl sy'n parchu'r gyfraith a all wneud hyn. Y mae cyfraith weithiau a fwriedir er daioni yn cael ei defnyddio i lesteirio datblygiad naturiol cymdeithas, neu Genedl".* Yna mae'n ychwanegu cymhariaeth drawiadol *".... Yn union fel y gall gramadeg lesteirio twf naturiol iaith".*

Yn gwbl reddfol o gofio'i wybodaeth am hanes lleol mae'n rhestru enghreifftiau lle bu raid herio deddf gwlad ym Meirion er mwyn sicrhau cyfiawnder. Ynghanol rhes o gwestiynau rhethregol mae hon, *"A ddylasai'r Gweinidogion Piwritanaidd fod wedi peidio pregethu am fod deddf yn eu gwahardd i wneud hynny o fewn pum milltir i unrhyw dref?"*

Mae'n symud wedyn i sôn am frwydr Rhyfel y Degwm. Roedd y cyfan yn plethu i'w gilydd, ei fro, ei hanes, crefydd a'r brwydrau dros hawliau sylfaenol..

"Deuai Thomas Davies Cwmhwylfod i'n tŷ ni i sôn am Ryfel y Degwm, ac yr oedd llun ar bared y tŷ o'r dewrion hynny yn sefyll o flaen Carchar Rhuthun ... A doedd Glan y Gors ddim ond dros y mynydd o'r Pentre!". Jac, Glan y Gors, wrth gwrs oedd un o gefnogwyr brwd y Chwyldro Ffrengig a Rhyfel Annibyniaeth yr U.D.A.

Yna daw'r diweddglo herfeiddiol *"nid yw fawr o bwys beth fydd ein tynged ni ... heddiw ... ... ond y mae achos Cymru o dragwyddol bwys. Mae parhad yr Iaith Gymraeg ar wefusau plant Penllyn yn holl bwysig ... Rhown achos Cymru yn eich dwylo".* Cawsant ryddhad diamod!

Yn dilyn y penderfyniad derbyniodd Ifor Owen lythyr gan Gwynfor Evans lle mae Llywydd y Blaid yn cyfeirio at *"weithred wrol Tom Jones".* Erbyn hynny doedd T.J. ddim yn aelod swyddogol o'r Blaid nac yn sefyll yn enw'r Blaid ar Gyngor Gwynedd er bod Gwynfor yn cyfeirio at rodd o £100 ganddo i'r Blaid. *"Mae'n ŵr o bwysau ar y Cyngor Sir"* ychwanega a gwêl y weithred fel ffordd o gael y cynghorydd i sefyll yn enw'r Blaid *"a rhoi arweiniad i eraill".* Ddigwyddodd hynny ddim.

Ond nid dyma ddiwedd y stori. Cafodd y Fainc ei beirniadu yn hallt gan yr Arglwydd Hailsham a ddaeth i Fangor i gystwyo'r Ynadon hynny oedd yn gwyro oddi wrth lythyren y Ddeddf. Y canlyniad fu i Ifor Owen a'i gyfeillion orfod ail ymddangos gerbron y Fainc. Mae'n dechrau ei araith gyda'r datganiad dadleuol hwn.

"Dydw i ddim yn ŵr dewr wrth natur a buasai yn well o lawer gennyf aros adre gyda fy niddordebau." Fel yn achos y cais i sefyll etholiad Seneddol yn enw'r Blaid, gwleidydd anfoddog oedd Ifor Owen. Ac mae ei araith ar yr ail achlysur yn pwyso'n drwm ar ei brofiad fel athro a'r perygl i'r Gymraeg ar wefusau plant.

ANNERCH Y LLYS (2)

IFOR OWEN

'Roedd Mr. Ifor Owen, Prifathro Ysgol Llanuwchllyn, yn un o'r pump a ryddhawyd yn ddiamod gan Fainc y Bala ar y 12ed o Orffennaf.
—Golygydd.

Foneddigion,

Does dim raid imi ddweud wrthych chi sy'n fy adnabod yn dda fy mod yn fy nghael fy hun mewn lle deithr iawn y pnawn yma. Un waith o'r blaen y bûm yn sefyll yn y lle hwn a hynny lawer blwyddyn yn ôl bellach pan yng nghwmni cyfeillion i'r cylch hwn oedd wedi eu gwysio am drwydded Radio. Gwrthodem dalu y pryd hynny oherwydd na chai Cymru wasanaeth teilwng ar y Radio na derbyniad a oedd yn agos i foddhaol. Rwy'n bur hyderus i bethau wella y tro hwnnw oherwydd safiad cannoedd lawer mewn llysoedd led-led Cymru. Onid yw'n drist meddwl na dderbyniodd Cymru odid ddim erioed oddi ar law y BBC heb ymladd yn galed bob modfedd o'r ffordd. Ymladd am yr hyn a dderbyn Lloegr yn ddi-ymdrech fel hawl sylfaenol ddiymwad. Rwy'n ddigon hen i gofio y frwydr am gael y mymryn cyntaf erioed o Gymraeg ar y Radio a'r awdurdodau'n styfnig yn erbyn. Yn wir mi gredaf mai o Ddulyn yn Iwerddon y darlledwyd y Cyngerdd Cymraeg cyntaf. Rwy'n credu fod Mrs. Gladys Williams y Bala, ymysg yr Artistiaid a deithiodd i Ddulyn y tro hwnnw. Yn ddiweddar deuthum ar draws hen rhifyn o'r *Capten,* un o gylchgronau'r Urdd, Rhifyn Rhagfyr 1931 ydoedd. Dyma a ddywed y Golygydd, Syr Ifan ab Owen,

> "Yn unol â'r penderfyniad a basiwyd yn Senedd yr Urdd anfonodd yr Ysgrifennydd i'r BBC yn hawlio,
>
> (a) Cynrychiolydd i Gymru ar y Bwrdd Llywodraethol.
>
> (b) Lledaenu Neges Ieuenctid Cymru o Daventry.
>
> Cydnabyddwyd y llythyr ac addwyd ateb i'r pynciau ynddo, ond pan ddaeth, atebion nacaol oedd ynddo . . . "

Dyna'r sefyllfa drist y gellir ei hailadrodd drosodd a throsodd i lawr y blynyddoedd. Rhoi'r lleiafswm lleiaf yn grintachlyd gybyddlyd 'rôl protestio, protestio. protestio. Onid yw'n drist, gyfeillion, fod holl egni'r Genedl Gymreig yn cael ei wastraffu wrth geisio sicrhau amodau sylfaenol ei bywyd a'i pharhad yn hytrach nag i fyw y bywyd llawn dan amodau a ystyrir yn hawl gwaelodol pob Cenedl Wâr Rydd. Parhad o'r ymdrech ddiorffwys hon yw'n safiad ni heddiw.

Y GYFRAITH

Yn ddiweddar, ers pan y mae llawer o Gymry, oherwydd dwyster y sefyllfa, wedi gorfod protestio drwy dorri Cyfraith Gwlad, y mae llawer o bethau ffôl wedi eu dweud am natur cyfraith. Mae rhai awdurdodau wedi mynd mor bell â datgan mai'r ffurf uchaf ar foesoldeb yw ufuddhad digwestiwn i'r gyfraith. Credaf fod cyfraith wâr yn un o addurniadau pennaf gwareiddiad am mai mynegiant yw cyfraith wâr o'r modd y mae Cymdeithas yn fodlon cydymddwyn er budd y Gymdeithas honno, ac y mae hynny'n naturiol yn golygu fod rhywfaint o gyfyngu ar benrhyddid yr unigolyn er budd y Gymdeithas. Yr ydwyf fi a'r cyfeillion eraill sydd o'ch blaenau'r pnawn yma wedi parchu'r gyfraith honno erioed er mai Cyfraith Lloegr y gelwir hi dros dro yng Nghymru. Eithr fe ddaw amser yn hanes pob oes, ac yn hanes pob Cymdeithas pan elwir ar rai pobl i dorri'r gyfraith yn fwriadol. A hoffwn bwysleisio yn y fan hon mai dim ond pobl sy'n parchu'r gyfraith a all wneud hyn. Y mae cyfraith weithiau a fwriedir er daioni yn cael ei defnyddio i lesteirio datblygiad naturiol cymdeithas, neu genedl, yn union fel y gall gramadeg lesteirio twf naturiol iaith. Does dim o'i le wrth gwrs fod i'r gyfraith ddweud na ellir derbyn gwasanaeth teledu heb drwydded, ond pan ddefnyddir y gyfraith honno i orfodi cenedl i dderbyn cyfundrefn deledu sy'n estron ac yn farwolaeth iddi mae'n amser i bobl ddangos eu gwrthwynebiad i hynny. Gwrthwynebiad yn gyntaf drwy ddulliau cyfreithiol ond wedi i'r rhai hynny fethu brotestio drwy dorri'r gyfraith honno fel parch at y gyfraith gyffredinol a ddylai amddiffyn y gymdeithas yn hytrach na'i dinistrio.

'Annerch y Llys' yn Barn *Rhif 118 Awst 1972*

"Saesneg y bocs yn y gornel sy'n llenwi y cartrefi o pan ddônt o'r ysgol hyd amser gwely .... Ni cheir trafod a storia'n Gymraeg fel y bu ac ni throsglwyddir geirfa gyfoethog i'r plant."

Yr Arwisgo

Achosodd Arwisgo Charles mab y Frenhines yn Dywysog Cymru lawer o ddiflastod a gwrthdaro yng Nghymru yn 1969. Felly hefyd yn Llanuwchllyn yn dilyn penderfyniad Côr Godre'r Aran i fynd i ganu yng Nghastell Caernarfon. Does dim dadl ble y safai Ifor Owen ar y mater, er bod gen i gof plentyn i rai ohonom o'r ysgol fynd i Ddolgellau yn 1958 i weld y Frenhines yn agor swyddfeydd Cyngor Sir Meirionnydd! Ond mae llythyr ar glawr oddi wrth Ifor Owen fel prifathro at gynhyrchydd yn y BBC o'r enw John Ormond a fu yn Ysgol O M Edwards yn recordio deunydd neu eitem. Roedd wedi derbyn Tair Gini am yr eitem i'w chynnwys mewn rhaglen o'r enw "Investiture". Fel hyn yr ysgrifennodd y prifathro

"You may have gathered that I hold very strong views on that subject and would not be prepared under any circumstances to take part in a programme on that subject. Therefore I must reluctantly withdraw permission to use the Ysgol O M Edwards episode in a programme on the investiture."

Roedd newid pur sylweddol wedi digwydd ym meddylfryd gwleidyddol y Gymru Gymraeg mewn degawd.

Grym y Gair

Roedd Ifor Owen yn ysgrifennwr caboledig yn Gymraeg ac yn Saesneg a bu'n llythyru'n gyson yn y Wasg ar hawliau Cymru a'r Gymraeg. Mae'n amlwg iddo fod yn bresennol yn y rali a gynhaliwyd ar ddechrau'r Achos Cynllwynio yn erbyn arweinwyr Cymdeithas yr Iaith yn Abertawe ym Mai 1971 gan iddo ysgrifennu adroddiad manwl llygad dyst yn dwyn y pennawd "Diwrnod i'w Gofio". Terfyna'r adroddiad gyda'r geiriau *"Mae rhywbeth ar gerdded yng Nghymru. Rhywbeth newydd a dewr a glân sy'n anodd i ni'r genhedlaeth hŷn ei amgyffred."*

Bu'n gysgon ei gefnogaeth i ymgyrchoedd Cymdeithas yr Iaith gan fynychu Ralïau led led Cymru. Roedd yn gefnogol i safbwynt CND Cymru a phan oedd bygythiad i gladdu gwastraff niwclear ym Mhenllyn roedd Ifor Owen yn barod ei gefnogaeth ymarferol. A Duw a ŵyr sawl clawr a phamffled y bu'n gyfrifol am eu dylunio; pob un yn wirfoddol wrth gwrs ynghanol prysurdeb diflino.

Bu'n gohebu yn y **Cyfnod**, y **Cambrian News** ac yn enwedig yn y **Daily Post** a hynny yn bennaf er mwyn ymateb i ddatganiadau gwrth Gymreig neu ymosodiadau ar y Blaid. Ond roedd achosion eraill yn ei oglais o dro i dro. Ym 1984 bu Rali Fawr gan CND yn Llundain ond doedd dim gair amdani ym mhapur "cenedlaethol" Gogledd Cymru.. Dyma sylwadau bachog Ifor Owen am hynny.

"Imagine my surprise and disappointment at not finding a single sentence about this rally in your paper. Was this an oversight on your part, or is it Daily Post policy not to report certain news items?"

Mae'n amlwg bod colofnwyr y **Daily Post**, Charles Quant ac Ivor Wynne Jones yn gwylltio Ifor Owen yn eithaf cyson. Dyma un ymateb gan y prifathro.

"I was sorry to read in Monday's Daily Post that Charles Quant's brand of democracy does not allow minority parties in Wales, like Plaid Cymru, to make any demands on the "British Government".

"Does Mr Quant realise that the Tory party has been a minority party in Wales for the last hundred years ....."

Daliodd i ddadlau dros y pethau oedd yn cyfrif iddo hyd y diwedd gan gymryd safiad digon unig yn erbyn cyflwyno bar yfed i faes yr Eisteddfod Genedlaethol ganol y 90au. Ond doedd bod mewn lleiafrif ddim yn ddiarth i'r gŵr o'r Pentre.

Doedd Ifor Owen ddim yn un oedd yn hoff o glywed ei lais ei hun a doedd dim o'r "fi fawr" ynddo er gwaethaf ei ddysg a'i wybodaeth. Ymgyrchydd anfoddog ond parod ei wasanaeth oedd o gan ei fod yn ymwybodol iawn o enbydrwydd sefyllfa Cymru a'r Gymraeg a'r diwylliant a garai gymaint.

Flynyddoedd yn ôl bûm yn cynhyrchu rhaglen am Wrthryfel y Pasg 1916 yn Iwerddon. Holodd y Dr Harri Pritchard Jones un o'r hen filwyr, tybed a oedd yn difaru gwneud yr hyn a wnaeth. Gwerinwr cyffredin oedd o na chafodd unrhyw elw na mantais o'r chwyldro ac na fu'n geffyl blaen yn sicr. Ei ateb ar ôl ystyried oedd *"I did according to my lights"*.

Felly, hefyd, Ifor Owen ond bod ei oleuadau o yn rhai clir a llachar mewn byd ansicr. Fe wyddai yn iawn pa werthoedd oedd yn cyfrif a bod rheidrwydd arno i warchod y gwerthoedd hynny a gweithio drostynt. Er ei fod yn swnio fel rhyw ddweud arwynebol clyfar credaf y gellir dweud amdano, bod ei fywyd i gyd wedi bod yn ymgyrch o blaid y pethau gorau.

Alun Ffred Jones

Hoffwn ddatgan fy niolch a fy nyled i Dyfir Gwent am gasglu'r deunyddiau at ei gilydd mor gymen ac i Einion Thomas am ei gymorth parod.

Hwyl

Rwyf yn sôn yn yr adran ar Wyddelwern nad oeddwn i wedi clywed sôn am Ifor Owen nes iddo ddod yno. Ond taswn i wedi bod yn fwy sylwgar, mi faswn i wedi gweld ôl ei waith ar nifer o lyfrau oedd gennym gartref – yn enwedig **Yr Hogyn Pren** cyfieithiad E T Griffiths o stori enwog Collodi, a **Hunangofiant Tomi**, clasur Tegla i blant, dau o'm ffefrynnau pan oeddwn yn ifanc. I'r frech goch yn ôl y sôn y mae'r diolch iddo ddod yn ddarluniwr llyfrau mewn cyfnod o brinder mawr, pan ellid cyfri'r cyfryw bobl yng Nghymru ar lai na bysedd un llaw. Yng Nghroesor yr oedd o ar y pryd ac yn ystod y cyfnod o salwch y dechreuodd o arni gan ddarlunio **Yr Hen Wraig Bach a'i Mochyn** – y llyfr cyntaf iddo weithio arno. Ond doedd hynny ond blaenffrwyth gweithgarwch anhygoel yn y maes hwnnw, a maes llunio cloriau a siacedi llwch, mewn llyfrau a chylchgronau, pamffledi a rhaglenni.

Mae eraill yn cloriannu ei waith yn y meysydd hyn, ond heddiw, wrth ysgrifennu hwn, mi euthum am dro brysiog drwy fy silffoedd llyfrau a thynnu allan bentwr helaeth o lyfrau ddarluniwyd neu gynlluniwyd gan Ifor Owen. Yn eu plith o'm blaen y mae **Bywyd a Gwaith O M Edwards** gan G. Arthur Jones 1958 (Ivor oedd o bryd hynny) **Lady Gwladys a Phobl Eraill** gan D. Tecwyn Lloyd 1972 (roedd o'n Ifor erbyn hyn) **Y Pethe** a **Diddordebau Llwyd o'r Bryn, Tannau'r Cawn** – cerddi William Jones Nebo a llawer mwy.

Hwyl 1949 - 1970

Enw da ar gomic, ac fe'i hawgrymwyd gan neb llai na Syr Ifor Williams. Yn Ysgol Corwen y gwelais i gopi am y tro cynta, un o'r ychydig bethau oedd yn dod â lliw gweledol i'r Gymraeg ac i blant 8–10 oed yn y cyfnod llwm hwnnw – canol y pum degau. Ond wyddwn i ddim am hanes ei greu ac awdur llyfrau iaith a llyfrau darllen oedd D. J. Williams i mi nid crëwr comic.

Erbyn hyn rwyf wedi clywed stori rhoi cychwyn i'r comic lawer gwaith ac y mae bellach yn rhan o fabinogi cyhoeddi ar gyfer plant yn y Gymraeg. Ond mae'r hanes yn llawer gwell o ddod gan Ifor Owen ei hun, a dyma ddyfyniad o lythyr heb ei ddyddio ganddo at rywun o'r enw "Sgwarnog":

Guto Gwent, brawd i fab yng nghyfraith Ifor Owen, Llew, yn darllen rhifyn cyntaf 'Hwyl'

Rydech chi'n holi pam ddaru 'Hwyl' gael ei gychwyn. Wel roedd yna ysgolfeistr da iawn (D. J. Williams) oedd yn caru plant Cymru yn byw yn Llanbedr, Meirionnydd. Roedd o wedi sgwennu llawer o lyfrau i blant eisoes, ond roedd un peth yn ei boeni. Roedd o wedi sylwi ar blant bach yr ysgol yn ceisio darllen comics Saesneg yn slei bach pan ddylen nhw fod yn gwrando ar y wers. Dyna D.J. yn meddwl, 'Pam na chan nhw ddarllen comic Cymraeg yn slei bach?'

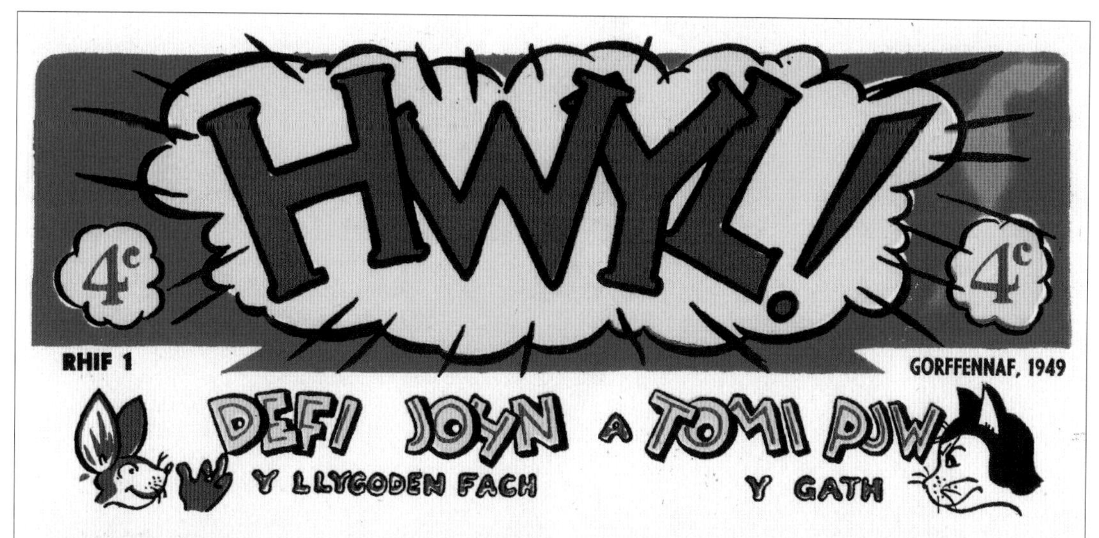

Rhoddodd Defi John, y llygoden fach lwyd, ei thrwyn allan o'i thwll. Yr oedd arogl caws yn rhywle! Yn wir, dacw fo ar ben y silff! "Sut âf i heibio'r hen Domi Puw yna?" ebe ef.

Beth mae Defi John yn ei wneud ar ben y bocs, tybed? Gwylia di, Defi John, mae Tomi wedi agor un llygad, a blaen ei gynffon yn ysgwyd, ysgwyd. Ond ....

Clic! ... Bang! ... Y mae Defi John wedi agor cliced y bocs, a Jac wedi neidio allan gan roddi hergwd i'r caead yn erbyn pen Tomi Puw. Gwelodd Tomi filoedd o sêr!

Cafodd Defi John hergwd hefyd gan y caead. I fyny, ac i fyny a fo nes disgyn yn dwt a thaclus ar silff y caws. Dyna wledd a gafodd. "Sut ei di adre' Defi John?" ebe Tomi, o'i go'n ulw.

Rhifyn cyntaf Hwyl *Gorffennaf 1949*

Hwyl *Hydref 1959*

Hwyl *Gorffennaf 1958*

Rhifyn olaf **Hwyl** *Haf 1989*

Hanes 'Pero Bach' allan o Hwyl

Ty'r Ysgol,
Gwyddelwern,
Corwen,
Meirionnydd.

Annwyl Blant,

Rhyw ddiwrnod 'roedd gennyf nifer o hen gopïau o "Hwyl." Rhwymais hwy ynghŷd i wneuthur un llyfr mawr. Wedi ei rwymo rhoddais ef ar fwrdd llyfrgell yr ysgol. 'Roedd y plant am y cyntaf yn ceisio ei fenthyca i'w ddarllen. Wel, meddwn wrthyf fy hunan, efallai yr hoffai plant eraill heblaw plant Gwyddelwern gael copi o hen rifynnau "Hwyl" wedi eu rhwymo'n un llyfr mawr. Dyna sut y penderfynwyd argraffu "Llyfr Mawr Hwyl."

Ynddo cewch ail fwynhau, ac ail chwerthin am ben troeon trwstan Defi John, Robin y Busnes, a Phorci ac eraill. Efallai mai yn "Llyfr Mawr Hwyl" y daw rhai ohonoch i adnabod Porci, Robin y Busnes, Defi John a'r lleill am y tro cyntaf. Cofiwch y gellwch ddarllen amdanynt bob mis yn y comic Cymraeg "Hwyl." Gofynnwch amdano i'r dyn sy'n gwerthu papurau newydd i chwi. 'Rwy'n siŵr yr hoffech i mi ddiolch hefyd i bawb a fu'n helpu ymhob rhyw fodd i gyhoeddi "Hwyl" bob mis.

Pob Hwyl i chwi ffrindie bach,

Cofion cynnes,

Ivor Owen (Golygydd).

Tachwedd, 1952.

Y cyflwyniad i'r detholiad cyntaf yn Llyfr Mawr Hwyl

5

DEFI JOHN Y LLYGODEN FACH A TOMI PUW Y GATH

YN YR ARDD

'Roedd mis Mai wedi dod ac yr oedd Tomi Puw'n brysur yn yr ardd yn chwynu a thrin y blodau yn y border bach.

Yn ei ddarn yntau o'r ardd yr oedd Defi John y lygoden yn brysur gyda'i fforch. Nid oedd dau hapusach yn unman.

Ond fel y gwyddoch blant ni all Defi John bihafio'n hir iawn. Wrth weld Tomi Puw'n mwynhau'i hun daeth syniad i'w ben.

Torrodd flodyn coch hardd ac aeth i nôl y bocs pupur! Ysgwydodd y coblyn drwg beth o'r pupur am ben y blodyn.

Yna aeth â'r blodyn i Tomi. "Clyw'r arogl hyfryd sydd ar hwn," ebe ef wrth Tomi. Caeodd Tomi ei lygaid a chymrodd-

anadl ddofn. Aeth y pupur i'w drwyn nes ei fod yn tisian a thisian yn ddibaid—A-tish-w, A-tish-w, A-tish-w, A-tish-w!

CROESAIR 1

AR DRAWS.

5. Mis.
6. Ceffyl (wedi treiglo).
7. Mae 60 mewn munud.
9. Cawn hwn gan yr iâr.
10. Pys a ——
12. Lluosog o nant.
14. —— a tharanau.
16. Gwelwn hwn ar frig ton.

I LAWR.

1. Dechrau byw.
2. Caredig.
3. 'Rwyf am fynd.
4. Aderyn bychan.
8. Bu ef yn ffau'r llewod.
11. Ceg afon.
13. Mawrth y grempog.
15. Lle'r ydym yn byw.

Y stori gyntaf yn Llyfr Mawr Hwyl

Cartŵn gan E. Meirion Roberts yn darlunio Ifor Owen yng nghanol ei waith, Bob Owen a D.J. Williams Llanbedr ar y wal, a Winnie yn brysur yn y cefndir

Fe aeth ati i wireddu ei freuddwyd ac fe gasglodd ynghyd nifer o bobl ddylanwadol a dawnus ac yn Ifor Owen, yn anad neb, fe gafodd enaid hoff cytûn. Aeth y ddau i Lerpwl i berswadio perchnogion Gwasg y Brython i argraffu'r comic, ac mae'r stori am y ddau yn darllen comics ar y trên wedi ei hadrodd lawer gwaith, ond dyma hi, yng ngeiriau Ifor Owen ei hun yn ei lythyr at Sgwarnog:

Rydw i'n cofio D.J. a minnau yn dod adre o Lerpwl ac wedi prynu bwndel o gomics Saesneg er mwyn inni gael gweld sut roedd rheini yn cael eu hargraffu. Yn y trên yn y twnnel dan afon Mersi, dyma ni yn tynnu'r comics allan, a dechrau eu darllen nhw. Bwndel ar lin y ddau ohonom ac un yn ein dwylo. Dyma fi yn digwydd edrych dros ben fy nghomic i, a choeliwch chi ddim be weles i Mr Sgwarnog, ond rhes o bobl gyferbyn â gwên lydan ar wyneb pob un wrth weld dau ddyn mewn oed a synnwyr yn darllen comics.

Yng Ngorffennaf 1949 y daeth y rhifyn cyntaf o'r wasg, a hynny ar ôl misoedd o lafur gan lawer o bobl, llawer o gymwynaswyr y Gymraeg, ond yn enwedig D.J. ac Ifor Owen. Y nhw yn anad neb, ddygodd bwys a gwres y dydd a chofadail i'w dycnwch a'u dyfalbarhad nhw oedd ymddangosiad y comic.

Saith mis oed oedd **Hwyl** pan fu farw D.J., a hynny mewn cyfarfod o'r pwyllgor addysg ac yntau yn ymladd brwydr i geisio cadw Ysgol Llanymawddwy yn agored. Roedd hi'n argyfwng ar y fenter cyn iddi gael ei thraed dani yn iawn. Ond fe gasglwyd ynghyd bwyllgor o garedigion yr iaith gyda Tom Jones, Llanuwchllyn yn gadeirydd, a Meirion Jones Dyffryn Ardudwy a'r Bala yn ysgrifennydd. Ifor Owen wrth gwrs oedd y golygydd, a bu'n olygydd gydol yr amser y bu'r comic fyw.

Roedd angen Dewyrth Dei ar unwaith ar y comic i gymryd lle D.J. - un fyddai'n gosod cystadlaethau ac yn cysylltu'n uniongyrchol efo'r darllenwyr, a phenderfynodd y golygydd ofyn i Ellis D. Jones, Talysarn, (Jones bach i'w gyfeillion) - un arall efo'r tân Cymreig yn ei fol i ymgymryd â'r

Hanes Pero Bach allan o 'Hwyl'

gwaith. Ysgolfeistr wedi ymddeol oedd o, ac wedi gwasanaethu yn y Sarnau (yr ysgol y bu Ifor Owen yn ddisgybl ynddi) ac yng Nglyndyfrdwy. Fe ddaeth yr ateb mewn llythyr at 'Ifor a Winnie' ddechrau Chwefror 1950, a dyma ran ohono:

TWM O'R NANT

ANTERLIWTIWR A BARDD

Ganed Tomos Edwards, neu Twm o'r Nant, yn 1738 mewn ty o'r enw Penparchell ym mhlwyf Llanefydd. Symudodd y teulu i fyw i'r Nant ger Dinbych pan oedd Twm yn faban. Cafodd ychydig o ysgol a bu'n dysgu ysgrifennu trwy sgwennu ag inc o sudd cnotiau'r ysgaw ar ymylon dalennau llyfrau.

'Roedd yn gryf iawn, a bu am amser yn cario coed, a gwnaeth lawer camp yn y gwaith hwnnw. Ond fel bardd ac anterliwtiwr y cofir amdano. Drama fechan yw Anterliwt. Ers talwm âi nifer o bobol o ffair i ffair i'w hactio. Actient yr anterliwt gyda throl fel llwyfan. Gosodent y drol ym muarth neu agorfa i fuarth tafarn, ac âi'r cymeriadau i fyny i ddweud eu darn. Y mae Twm o'r Nant yn awdur llawer anterliwt a gwnaeth un cyn bod yn 14 oed. Bu farw

Roedd 'Hwyl' yn cael ei ddefnyddio i addysgu'r plant hefyd. Dyma'r darn a gyhoeddwyd am Twm o'r Nant ynddo.

Ynglŷn â Hwyl oedd mor agos at ei galon (cyfeiriad at D.J.) beth a ddywedaf. Roeddwn yn falch fod y llu llythyrau'n canmol Hwyl wedi ei blesio gymaint. Soniai amdanynt Nos Sadwrn ac rwy'n falch fy mod innau wedi canmol a dweud ei fod yn gwella ei raen bob cynnig.

Fe garwn allu gwneud unrhyw beth a allaf er mwyn D.J. – er mwyn cadw Hwyl i fynd ac er eich mwyn ***chwithau*** *yn arbennig.* (tanlinellwyd gan Ellis D.)*Gwn gymaint o gefn â fuoch iddo, Ifor, a gwn mai go brin y gwelsai Hwyl olau dydd heb yr help mawr a gafodd gennych chi am fisoedd lawer cyn iddo ymddangos a phob mis wedi hynny.*

Yn y pwyllgor a gyfarfu ar Fawrth 2ail 1950 fe gadarnhawyd gwaith y golygydd yn gofyn i Ellis D. Jones ymgymryd â'r gwaith, ac er ei fod ef wedi awgrymu 'Fewyrth Dafydd' yn deitl iddo'i hun, penderfynwyd cadw at 'Dewyrth Dei', gan fod y plant eisoes yn dechrau cynefino efo fo. Mae darllen enwau'r rhai wahoddwyd i fod yn aelodau o'r pwyllgor bron fel darllen **Who's Who in Wales** yr adeg honno, ac yn eu plith roedd Cassie Davies, T. I. Ellis, E. Morgan Humphreys, Dewi Machreth Ellis, Harry Evans -Jones, B. Maelor Jones, John Ellis Williams, Jennie Thomas a J. O. Williams. Nid pawb a dderbyniodd y gwahoddiad, ond cafwyd addewid am gefnogaeth gan bob un.

Roedd pwyllgor cryf yn hanfodol gan nad oedd bryd hynny na Chyngor Llyfrau, Cyngor y Celfyddydau na Swyddfa Gymreig i roi nawdd i fenter o'r fath, ac fe gadwyd cofnodion manwl o'r holl gyfarfodydd am flynyddoedd lawer, hyd farwolaeth Meirion Jones yr ysgrifennydd yn 1970.

Y mae yna themâu cyffredinol yn rhedeg trwy'r cofnodion hyn, a theg yw rhoi sylw i rai ohonyn nhw er mwyn i bawb sylweddoli'r ymdrech yr oedd cynhyrchu'r comic bob mis yn ei olygu. Y mae cofnodion pwyllgor Mai 15fed 1951 yn crynhoi y materion hyn i'r dim.

Yn y cyfarfod hwnnw fe benderfynwyd ar y canlynol ymhlith materion eraill:

1. Anfon llythyr o ddiolch i'r holl artistiaid ac eraill gyfrannodd i Hwyl am eu gwasanaeth a'u hysbysu y gobeithir gallu eu cydnabod cyn hir.

Teg nodi i laweroedd weithio am ddim i sicrhau llwyddiant **Hwyl**, ac i amryw anfon sieciau yn ôl pan dalwyd hwynt. Y mae dwy neu dair o'r rhain yn dal ar gael ymhlith papurau'r pwyllgor. Cafwyd ambell gŵyn gan ambell un am ddiffyg cydnabyddiaeth, ond pan ysgrifennodd Ifor Owen atyn nhw i ddatgan bod y rhan fwyaf o'r rhai oedd yn gweithio i'r comic yn gwneud hynny yn ddi-dâl, fe ddeuai llythyrau o ymddiheuriad yn ôl!

Yn y dyddiau hyn pan mae pobl yn disgwyl tâl am besychu bron mae'n bwysig cofio y gwaith

HENRY RICHARD

Apostol Heddwch.

Ganed Henry Richard yn 1812 yn Nhregaron, Sir Aberteifi. Ar hyd ei oes gweithiodd yn galed dros heddwch rhwng gwledydd y byd. Ceisiai gael y gwledydd i gredu nad oedd rhyfel yn setlo eu problemau, ond yn hytrach yn achosi dioddef a thlodi a rhyfeloedd eraill. Bu'n siarad dros heddwch mewn amryw o wledydd Ewrob. Bu'n aelod seneddol dros Ferthyr Tydfil ac yr oedd achos Cymru mor agos at eu galon fel y gelwid ef weithiau "Yr aelod dros Gymru". Cymerai blaid pob achos da, a chaseai ormes a chreulondeb ymhobman. Bu farw yn 1888.

Darn addysgiadol am Henry Richard yn 'Hwyl'

gwirfoddol anhygoel a gyfrannodd Ifor Owen, yn anad neb, i sicrhau llwyddiant y comic a hynny heb unrhyw gydnabyddiaeth ariannol. Roedd o'n fwy nag ymroddiad, roedd o'n arwriaeth.

Yn y man fe lwyddwyd i neilltuo peth arian ar gyfer talu i gyfranwyr, ond cydnabyddiaeth oedd o, a doedd o ddim yn gymesur o bell ffordd â'r hyn a dderbynnid gan yr artistiaid a'r awduron. Un o'r rhai fu'n hynod o gefnogol a theyrngar i **Hwyl** oedd Hywel Harris ac fe fu am rai blynyddoedd yn aelod o'r pwyllgor. Ond ar Ifor Owen yr oedd y pwysau mwyaf, o safbwynt gweithio ar y comic a chysylltu efo'r wasg, y fo a Meirion Jones, dau a gydweithiodd yn hapus dros yr holl flynyddoedd, y ddau yn brifathrawon ym Meirionnydd, un yn Nyffryn Ardudwy a'r Bala a'r llall yng Ngwyddelwern a Llanuwchllyn. Closio wnaethon nhw yn ddaearyddol, a'r closio hwnnw yn symbol o gydweithio agos a dealltwriaeth gyfeillgar.

Ifor Owen wrth gwrs oedd 'tad' Defi John a Tomi Puw, dau gymeriad mwyaf adnabyddus y comic, a thasg aruthrol oedd ceisio meddwl am driciau a drygau gwahanol i'r ddau eu cyflawni bob mis!

Y mae darllen yr ohebiaeth gan awduron ac artistiaid a chymwynaswyr eraill yn brofiad pleserus tu hwnt gan fod yna ewyllys da di-ben-draw at y fenter a phawb yn dymuno ei llwyddiant. Pan lwyddwyd yn y man i dalu peth cydnabyddiaeth i'r bobl hyn, yr adwaith fwyaf cyffredinol oedd datgan syndod a rhyfeddod eu bod yn derbyn dim!

Dyma rannau o lythyr R Gordon Williams Penygroes ar ôl iddo dderbyn siec:

... Nid oeddwn yn haeddu nac yn disgwyl dim... mawr ddiolch i'r hen gyfaill (D.J.) ddechreuodd y fenter ac i Ifor Owen am ganlyn ymlaen... hwy ysgwyddodd y baich mewn amser argyfyngus a thlawd yn llenyddiaeth plant Cymru. Diolch calon eto am rodd annisgwyl. Mae sawl cronfa angen plant y dyddiau hyn, a'r byd mewn sefyllfa druenus trwy sychder a rhyfel, a byddant yn falch o'r arian rwy'n siŵr.

Y mae darllen y llythyrau hyn yn adfer hyder dyn yn y ddynoliaeth, ac mae'r allwedd i'r holl ewyllys da i'w ganfod yn y llythyr, sef y clod a roddir i Ifor Owen am ysgwyddo'r baich. Yr un a weithiai mor ddiflino ei hun yn deffro cydwybod eraill, yr un gyfrannai swllt yn denu ceiniog a mwy gan bawb arall.

2. Fod is bwyllgor busnes yn cyfarfod cynrychiolwyr Gwasg y Brython i ddod i ddealltwriaeth ar rai materion a godwyd.

Busnes oedd Gwasg y Brython, ac arian yw prif sail pob busnes; gwirfoddolwyr oedd aelodau pwyllgor **Hwyl**, ac ewyllys da yw prif sail pob mudiad gwirfoddol. Yn anorfod felly, er bod yna gydweithio llwyddiannus am flynyddoedd, roedd yna hefyd densiynau.

Yn ystod 1951, ar ôl dwy flynedd o gyhoeddi, cynhaliwyd cyfarfod pwysig gyda pherchnogion y wasg a chafwyd dealltwriaeth mai argraffwyr yn unig oedd y Brython ac mai pwyllgor **Hwyl** oedd y cyhoeddwyr, - penderfyniad arwyddocaol. Cafwyd cytundeb hefyd ar brisiau argraffu a gwybodaeth am

Ifor Owen a Dyfrig Gwent, ei ŵyr, yn gafael yn rhifyn olaf 'Hwyl'

gylchrediad **Hwyl** ac i ba rannau o Gymru yr oedd yn cyrraedd. Trafodwyd hefyd y posibilrwydd o gynhyrchu **Llyfr Mawr Hwyl** ar gyfer y Nadolig, ac yn wir dros y blynyddoedd fe gyhoeddwyd tri o'r rhain ac fe fuon nhw yn boblogaidd iawn.

Cyhoeddwyd y cyntaf cyn y Nadolig 1952 ac erbyn Ionawr y flwyddyn ganlynol roedd o wedi gwerthu dros ddwy fil a hanner o gopïau. Cyn y cyhoeddi fe fu trafodaeth efo Gwasg y Brython ynglŷn â thelerau - naill ai bod y pwyllgor yn gwerthu'r hawlfraint i'r Brython, neu'n derbyn breindal ar werthiant pob mil. Y telerau gafwyd ac y cytunwyd arnyn nhw oedd chwe cheiniog y copi - ar ôl gwerthiant y ddwy fil a hanner cyntaf sy'n swnio erbyn heddiw yn delerau anffafriol dro ben. Fe gyhoeddwyd ail lyfr hefyd cyn Nadolig 1957 a digon tebyg oedd y telerau am hwnnw.

Y mae cyswllt y pwyllgor â'r wasg yn thema barhaus yn y cofnodion. Ambell dro cwynir am ei harafwch yn enwedig yng nghyd-destun cyhoeddi ail **Lyfr Mawr Hwyl**, gan fod yna ohirio diddiwedd. A methwyd dod i delerau ynglyn â thrydydd llyfr a Gwasg y Sir a gyhoeddodd hwnnw. Roedd telerau argraffu'r comic yn destun trafodaeth aml hefyd ac yng Ngorffennaf 1957 fe gafwyd cofnod yn nodi'r penderfyniad i ofyn am bris gan R E Jones, Conwy, ond ni allai'r wasg honno gynnig telerau mwy ffafriol nag a dderbynnid eisoes a chysylltwyd wedyn â'r Cambrian News a Gwasg y Sir yn y Bala. Yng nghofnodion Chwefror 1964 fe nodir i'r pwyllgor dderbyn telerau Gwasg y Sir i argraffu **Hwyl** a daeth y cyswllt â Gwasg y Brython i ben yn fuan wedyn.

O ddarllen y cofnodion fe geir darlun clir o'r materion oedd yn achosi peth tyndra rhwng y pwyllgor a'r wasg. Pris yr argraffu oedd y mater pennaf yn naturiol, yn enwedig argraffu mewn lliw, ond hefyd roedd cyhoeddi nofelau megis **Dial** a **Helyntion Ysgol Brynmeini** yn ogystal â **Llyfr Mawr Hwyl** yn achosi penbleth o dro i dro.

Darlun unochrog a geir o ddarllen y cofnodion yn unig, ond y mae llythyrau Gwasg y Brython ar gael hefyd, ac ynddynt hwy ceir ochr arall y stori. Mae dau o lythyrau 1955 yn darlunio yn weddol glir anawsterau'r perchnogion. Yn y llythyr dyddiedig Ionawr 7fed at Ifor Owen oddi wrth E Meirion Evans fe nodir nad oedd y wasg yn cytuno â dymuniad y pwyllgor i gyhoeddi **Llyfr Mawr Hwyl** erbyn yr Eisteddfod Genedlaethol, gan mai'r Nadolig oedd cyfnod y gwerthiant mawr ar lyfrau Cymraeg. Cwynir hefyd fod y deunydd ar gyfer **Hwyl** yn cyrraedd yn hwyr a bod gwneuthurwyr y blociau yn troi'n gas o'r herwydd a'r wasg yn gorfod bod ar eu holau yn ddiddiwedd. Fel y dywed Meirion Evans yn ei lythyr:

...fe synnech pe clywsech y bygythiadau y mae'n rhaid i ni eu defnyddio i'w cael – fe'n torrid ni allan o'r Seiat yn ddisymwth, - hyd yn oed yn 1955.

Yn y llythyr dyddiedig Mehefin 12fed yr un flwyddyn, eto gan Meirion Evans fe atebir y gŵyn gan y pwyllgor fod y breindal ar **Lyfr Mawr Hwyl** mor fychan, gyda'r wasg yn cynhyrchu ffigyrau costau a gwerthiant manwl. Tua diwedd y llythyr ceir y sylwadau dadlennol hyn:

Coeliwch chi neu beidio, oni bai fod gennym ryw gariad at ein gwlad (neu falchder ein bod yn gyhoeddwyr) buasem wedi rhoi heibio a chyhoeddi ers blynyddoedd...

Gwyddom am eich aberth chwi a'r cyfeillion eraill sydd yn amlwg i bawb a ystyrio, ac yr ydym yn ei werthfawrogi, ond tybia pawb fod y cyhoeddwr yn ymgyfoethogi beunydd.

Mae llythyrau eraill yn cyfeirio at y pryder y byddai gwerthiant y nofelau yn tanseilio gwerthiant **Llyfr Mawr Hwyl**, yr anhawster i ddenu Cymry Cymraeg i weithio yn y wasg, a thrafferthion gyda gweithwyr ac undebau ynghylch telerau ac oriau gwaith. Na, doedd cyhoeddi yn y Gymraeg yn ystod degawdau cyntaf ail hanner y ganrif ddiwethaf ddim yn fêl i neb, ac y mae dwy ochr i bob stori. Chefais i ddim copïau o lythyrau Meirion Jones ac Ifor Owen at y wasg, (gobeithio eu bod ar gael yn rhywle), ond y mae yna ddigon o dystiolaeth i bob anghytuno ac ymrafael a fu ddigwydd mewn ysbryd da a gwaraidd, ac ni ddirywiodd o gwbl yn ymgecru annifyr. Yr oedd cynhyrchu'r comic yn ddifwlch am bymtheng mlynedd rhwng 1949 a 1964 yn glod, nid yn unig i sêl genhadol Ifor Owen a'i griw o wirfoddolwyr, ond i ddycnwch Gwasg y Brython hefyd.

O 1964 hyd y rhifyn olaf yn 1989 Gwasg y Sir fu'n gyfrifol am ei argraffu.

3. Fod ymgais i'w wneud i ennill mwy o ddiddordeb ysgolion trwy geisio cael cydweithrediad holl Gyfarwyddwyr Addysg Cymru yn ogystal ag ysgrifennydd Is-bwyllgor Panel Llyfrau Cymraeg y Cyd-bwyllgor Addysg... Fod cyfeillion o'r de i'w gwahodd i'r pwyllgor i ystyried y dulliau i ehangu cylchrediad.

Gwerthiant a chylchrediad, - geiriau creiddiol y fenter. Heb werthiant, heb ddim, ac roedd trafodaeth ar hyn bron ym mhob cyfarfod o'r pwyllgor. Yn y dyddiau hyn pan mae cyhoeddi Cymraeg yn dibynnu'n gyfan gwbl ar nawdd a fawr ddim yn cael ei gyhoeddi heb sicrwydd o'r nawdd hwnnw, mae'n anodd dirnad maint y fenter i gyhoeddi **Hwyl**. Doedd yr un fuwch Gymreig ar gael y gellid ei godro bryd hynny, dim ond ysgolion ac awdurdodau addysg, a phryniant dros y cownter wrth gwrs. Ond doedd dim llawer o brynu felly na llawer o gownteri gwerthu chwaith yn y cyfnod cynnar.

Fe fu'r pwyslais felly o'r cychwyn cynta ar ysgolion, ac ymhen rhai blynyddoedd ar awdurdodau addysg. Bu'r gefnogaeth o du'r ysgolion yn wych, degau ohonyn nhw ym mhob rhan o Gymru'n prynu'r comic, a'r plant yn cystadlu yn gyson. Ar un adeg, er enghraifft, roedd 71 o ysgolion Meirionnydd yn prynu **Hwyl**, a'r enwau yn cynnwys nifer o ysgolion sy wedi hen gau erbyn hyn megis Celyn, Aberllefenni, Rhydygorlan ac Arthog. Yna, fe ymunodd yr awdurdodau addysg yn y pwrcasu ac erbyn y chwe degau y nhw oedd prif brynwyr y cylchgrawn ac fe fyddai'r awdurdodau yn dosbarthu'r comic i'r ysgolion. Roedd dosbarthu wrth gwrs yn broblem, ac yn fater drud, a chymorth mawr i'r pwyllgor oedd cymorth yr awdurdodau yn hyn o beth.

Dan y lach y bu awdurdodau addysg erioed ac mae hi bron yn gêm genedlaethol i'w difrïo ym mhob oes. Ond fe fuon nhw yn ffyddlon iawn i **Hwyl** nes y daeth ymyrraeth y gwleidyddion i ad-drefnu llywodraeth leol yn 1972 -3. Roedd cylchrediad **Hwyl** ar un adeg yn ddeng mil a rhifau pryniant rhai awdurdodau yn anhygoel. Ar un adeg (1965) Sir Ddinbych oedd yn prynu fwyaf - 1943 o gopïau bob mis, Meirionnydd 1098 a Brycheiniog o bobman yn prynu dros 1400. Ond yr oedd gan y sir honno Gyfarwyddwr Addysg brwd ei Gymreictod sef Deiniol Williams, a fo yn sicr oedd yn gyfrifol am y gefnogaeth a gafwyd o'r fan honno.

Yng nghofnodion y cyfarfod gynhaliwyd ym Mai 1966 fe nodir hyn:

Trafodwyd y siroedd sy'n derbyn **Hwyl**. *Ar wahân i Fôn, y mae derbyniad rhagorol.*

Rhaid ychwanegu hefyd fod cynnwys B. Maelor Jones, Cyfarwyddwr Addysg Meirionnydd ac yn ddiweddarach ei olynydd W. E. Jones, ar y pwyllgor, wedi bod yn fanteisiol iawn i'r cysylltiad gyda'r awdurdodau.

Pan ddaeth y siroedd newydd i fod fe gymerwyd ganddyn nhw ar y dechrau archebion y siroedd unigol, ond yn ystod y saith degau, mewn cyfnod o wasgfa ariannol, lleihau wnaeth yr archebion, a

Ym mhabell Hwyl yn yr Eisteddfod

lleihau fwy fyth ar ôl 1979 pan ddaeth y Toriaid i rym a gorfodi'r awdurdodau i ddatganoli rhan helaeth o wariant addysg i'r ysgolion unigol. Pan ddigwyddodd hynny roedd gan yr ysgolion flaenoriaethau eraill a dirywio ymhellach wnaeth cylchrediad **Hwyl**.

Ond erbyn hynny yr oedd yna ffynonellau ariannol i roi nawdd, yn arbennig felly y Cyngor Llyfrau, a bu Alun Creunant Davies, Cyfarwyddwr cyntaf y Cyngor, ac yna Gwerfyl Pierce Jones ei olynydd yn fawr eu cymwynas a'u cydymdeimlad tuag at y cylchgrawn, ac fe dderbyniodd nawdd am flynyddoedd.

Rhaid nodi hefyd i **Hwyl** gael, dros y blynyddoedd, gyfraniadau hael gan unigolion yn cynnwys Hywel Hughes Bogota, a chan fudiadau amrywiol gan gynnwys yr Eisteddfod Genedlaethol yn ystod y cyfnod pan oedd unrhyw weddill wedi eisteddfod yn cael ei gadw'n lleol a'i ddosbarthu i fudiadau ac achosion da yn ôl penderfyniadau'r pwyllgor. Cafwyd, er enghraifft, symiau sylweddol yn dilyn eisteddfodau megis Dolgellau, Ystradgynlais, Pwllheli a Llangefni, ac yr oedd y cyfraniadau hyn yn galluogi'r pwyllgor i gydnabod y cyfranwyr ac i gywiro'r diffyg yn y fantolen. Ni fu **Hwyl** erioed yn torheulo mewn meysydd breision, ni fu erioed ar y creigiau chwaith, ond bu'n aml ar ymyl y dibyn!

Hwyl 1970 – 1989

Yn naturiol, dros gyfnod o ddeugain mlynedd, fe gollodd **Hwyl** nifer helaeth o'i chymwynaswyr: colli D.J. yn gynnar, Ellis D. Jones wedyn, ac yn 1970 yr ergyd greulonaf oll, colli Meirion Jones, oedd wedi bod yn ysgrifennydd bron am y cyfnod cyfan, ac yn Ddewyrth Dei am flynyddoedd lawer. Ni ellir ond dychmygu'r bwlch adawyd ar ei ôl, yn enwedig i Ifor Owen gan mai y nhw eu dau oedd wedi cydio ym mhen praffa'r ffon gydol y blynyddoedd. Ond optimist oedd Ifor Owen ac ymlaen yr oedd ei Ganan yntau.

Derbyniais lythyr ganddo yn gofyn a fyddwn i'n barod i dderbyn mantell Dewyrth Dei, ac fel y rhan fwyaf o'r bobl y gofynnodd gymwynas ganddyn nhw, roeddwn innau'n methu gwrthod, ac fe wisgais y fantell am ddeng mlynedd, hyd 1980.

Yn rhifyn Medi 1970 fe ysgrifennodd Ifor Owen at y plant:

Yr ydym wedi dod o hyd i Ddewyrth Dei newydd sbon.

E. Meirion Roberts, Ifor Owen a Defi John yn yr Arddangosfa o waith Ifor Owen yng Ngŵyl Ddrama'r Urdd yn y Bala yn Ebrill 1987

Pan gychwynnais i arni, roedd dros ddeg ar hugain o ysgolion yn cystadlu bob mis, a'r rheini o bob rhan o Gymru – Pantperthog, Gwernogle, Capel Iwan, Trelawnyd, Rhos Wrecsam a Mynachlog Ddu i enwi dim ond rhai. Ond erbyn diwedd y degawd roedden nhw i lawr i hanner dwsin, a hynny'n adlewyrchu'r lleihad mewn cylchrediad. Yn aml roedd cyfraniad ysgol yn dibynnu ar pwy oedd yn athro neu athrawes yno ar y pryd, a gwn mai peth peryglus yw enwi, ond fe fu Trelawnyd (Eirlys Wyn Tomos), Aberdaron (John Morris) a Mynachlog Ddu (Eilir Thomas) yn fawr eu cefnogaeth, i nodi tair enghraifft yn unig.

Yn ystod y cyfnod hwn fe ddysgais un peth pwysig iawn am Ifor Owen, sef nad oedd "deadlines" yn golygu dim iddo! Roeddwn i'n tynnu gwallt fy mhen yn aml am fod **Hwyl** yn hwyr yn ymddangos a dyddiadau cau cystadlaethau yn mynd yn gwbl ddiystyr. Ar y dechrau tueddwn i feio Gwasg y Sir, ond nid ar y wasg yr oedd y bai, a byddwn yn mynd ar dro i weld y golygydd, yn cychwyn yn wyllt ac yn ei gaddo hi iddo fo wrth deithio o'r Sarnau i Lanuwchllyn. Ond yno y byddai yn dawel ddigyffro fel arfer, yng nghanol ei bapurau, ac fe fyddai min fy saethau wedi eu pylu cyn imi eu tanio.

Wrth fynd drwy'r llythyrau a'r cofnodion ar gyfer yr erthygl hon, cefais gadarnhad o'r ffaith nad oedd o'n gallu cyfarfod gofynion ar yr amser iawn, gan fod amryw o lythyrau yn cwyno am ddiffyg ymateb. Ond mi gefais i fwy na hynny wrth ddarllen, mi gefais ryw syniad o'r gwaith yr oedd o'n ei gyflawni efo'r comic, gwaith anhygoel a dweud y gwir. Sut y gallai o lanw swydd amser llawn, - a hynny heb ei hesgeuluso, bod yn ŵr a thad cyfrifol, bod yn ddyn ei gymdeithas a'i gapel ac yn ffigwr cenedlaethol ar fyrddau a phwyllgorau, - hyn oll a chyflawni'r gwaith efo **Hwyl**. Mae'r cyfan y tu hwnt i amgyffred, ond gwn hefyd mai rhan sylweddol o'r ateb oedd ei deulu, gyda sawl aelod o sawl cenhedlaeth yn cyfrannu deunydd i'r comic, ond yn bennaf Winnie, ei wraig. Hi oedd yn ei gynnal, yn ei symbylu, yn rhoi trefn ar bethau, yn ei helpu, yn cynnal Pabell Hwyl efo fo yn yr eisteddfod am lawer blwyddyn. Un o ragorolion y ddaear oedd Winnie, arian byw o wraig, un y tybiem fyddai fyw am byth, ac un y gallem resynu amdani pan ddaeth ei bywyd i ben, fel y gresynai Gerallt Lloyd Owen yn ei englyn i Jennie Eirian Davies: "A hon o bawb yn ei bedd!"

Na, doedd ryfedd fod Ifor Owen ar adegau yn methu cyfarfod "deadlines". Er iddo ddarganfod, ym Meirion Jones, un fu o gymorth amhrisiadwy iddo, ac er iddo gael pwyllgor o aelodau cefnogol a dylanwadol tu hwnt, eto, yn y pen draw arno ef y disgynnai'r baich mwyaf - o chwilio am nawdd, o fegera, o chwilio am gyfranwyr, o dafoli straeon a chyfraniadau, o ddarparu adroddiadau, o ymateb i geisiadau o bob rhan o Gymru yn ogystal ag Iwerddon, yr Alban, Llydaw a'r Almaen, o ateb llythyrau, rhai yn faith a geiriog tu hwnt, a hynny oll ar ben cynhyrchu sawl tudalen ar gyfer pob argraffiad o **Hwyl.**

Erbyn 1980 roedd ymddangosiad **Hwyl** yn fylchog iawn, ac er iddo lusgo byw hyd 1989, anfynych iawn y deuai rhifyn o'r wasg erbyn diwedd y degawd Fe fu farw marwolaeth naturiol yn y diwedd, a hynny yn bennaf am fod yr angen amdano wedi peidio â bod. Fe wawriodd cyfnod newydd ym myd darparu deunyddiau i blant, cyfnod y grantiau a'r hybu llyfrau a chylchgronau o bob math a daeth gwedd newydd ar gyhoeddi yn y Gymraeg. ŵyr y genhedlaeth hon ddim am dlodi'r ddarpariaeth yng nghanol y ganrif ddiwethaf, ddim am ddeugain mlynedd anialwch cyhoeddi ar gyfer ein hieuenctid pan fu **Hwyl** yn fanna o'r nef i gannoedd, na i filoedd o blant Cymru. Pwy a ŵyr na fu ei gyhoeddi dros y blynyddoedd, ac ymroddiad Ifor Owen yn symbyliad i eraill i fentro i'r maes i gyflenwi anghenion y plant, ac fe gafodd, diolch am hynny, ei anrhydeddu yn ystod ei fywyd.

Tlws Coffa Mary Vaughan Jones

Yr oedd Mary Vaughan Jones yn awdures arbennig iawn ym myd llyfrau plant, hi gynhyrchodd y gyfres fwyaf poblogaidd a gyhoeddwyd erioed yn y maes - sef cyfres Sali Mali. Ond roedd hi'n fwy na hynny, yn athrawes ysbrydoledig ac yn ddarlithydd a symbylodd lawer o'i myfyrwyr yn y Coleg Normal i weithio ym myd plant. Bu'n dioddef am flynyddoedd o arthritis, clefyd oedd, yn ei hachos hi, yn cloi ei chymalau ac yn gwneud bywyd yn anodd. Ond fe frwydrodd drwy'r cyfan gan ddal i symbylu a dal i ysgrifennu, a hynny bron hyd ddiwedd ei hoes.

Y mae ennill y Tlws Coffa felly yn anrhydedd arbennig, y mae bod y cyntaf i'w dderbyn yn anrhydedd ychwanegol. Ond dyna ddigwyddodd i Ifor Owen.

Yn 1985 y dyfarnwyd y tlws am y tro cyntaf ac fe'i dyfernir bob tair blynedd i berson sy wedi gwneud cyfraniad arbennig i faes llenyddiaeth plant. Ni allaf ddychmygu i'r panel gymryd fawr o amser cyn penderfynu pwy fyddai'n ei dderbyn y tro cyntaf y cyflwynwyd ef, gan nad oedd neb yn ei haeddu yn fwy nag Ifor Owen.

Dangos tlws Mary Vaughan Jones i'w wyrion ym 1985

Fe'i cafodd, nid yn unig am ei waith amrhisiadwy efo **Hwyl**, ond hefyd am ei holl waith ym maes llenyddiaeth plant, yn arbennig felly'r llyfrau y bu'n eu darlunio a'u dylunio, y pasiantau a'r rhaglenni a luniodd ar gyfer achlysuron arbennig ym myd addysg, ei waith dros Urdd Gobaith Cymru, a'i gyfraniad disglair i fyd addysg.

Yn Neuadd John Phillips, Bangor y cynhaliwyd y seremoni gyda Gwennant Gillespie yn cyflwyno'r tlws a myfyrwyr y Coleg Normal, dan gyfarwyddyd Brenda Wyn Jones yn perfformio cyflwyniadau i adlewyrchu bywyd a gwaith Ifor Owen. Roedd yr arlunydd Rowena Wyn Jones, yr un a ddarluniodd gyfresi Mary Vaughan Jones yn bresennol hefyd, ac fe drefnwyd y cyfan gan Ganolfan Llenyddiaeth Plant, Aberystwyth.

Nid dyma'r unig gydnabyddiaeth a ddaeth i'w ran gan iddo yn ddiweddarach dderbyn gradd anrhydedd Prifysgol Cymru, Bangor. Bûm yn rhan o lunio'r cais hwnnw ac ni fu erioed dasg haws i'w chyflawni! Derbyniwyd ef hefyd i'r wisg wen yng Ngorsedd y Beirdd, ond ni chafodd anrhydedd gan y frenhines. Tybed gafodd o gynnig, neu a oedd y rhai a benderfynai yn y maes hwnnw yn gwybod ymlaen llaw beth fyddai ei ateb pe câi?!

Bellach aeth Ifor Owen i blith y cyn arwyr, ac fel y dysgodd dinasyddion Groeg, ni ddaw'r cyn arwyr yn ôl i ymladd ein brwydrau drosom. Ond fe allan nhw ein symbylu ni sydd ar ôl i ymladd yn fwy dygn, i frwydro heb gyfri'r gost, i weithio'n ddiflino dros Gymru, ei hiaith, ei chrefydd, a'i diwylliant. A gallaf ddychmygu dau yn eu plith yn sefyll ysgwydd wrth ysgwydd yn ein gwylio ac yn ein cefnogi – O. M. Edwards ac Ifor Owen.

Elfyn Pritchard

Hanesydd

Mor Seisnig oedd y cwrs hanes yn yr Ysgolion Sir yr adeg honno, gyda'r pwyslais ar ryfeloedd Lloegr, y rheswm amdanynt (yn ôl Lloegr, wrth gwrs) a'r cytundebau heddwch astrus ar eu terfyn. Y cofio dyddiadau di-derfyn, "Dates are like pegs my boy," oedd hoff frawddeg yr athro hanes yn hen Ysgol Ramadeg y Bala. Pegiau i grogi digwyddiadau (yn hanes Lloegr, wrth gwrs) arnynt, fel y gellid estyn amdanynt yn hwylus mewn arholiad.

Dyna sut y mae Ifor Owen yn disgrifio ei wersi hanes yn Ysgol Tŷ Tan Domen y Bala, does ryfedd ei fod yn mynd ymlaen i ddweud bod yn gas ganddo'r pwnc yno. Roedd yn bwnc estron iddo yn sôn am bobl nad oedd ganddo ddim diddordeb na chysylltiad â nhw ag yntau wedi ei fagu ar aelwyd ddiwylliedig lle'r oedd hanesion difyr yr ardal yn cael eu hailadrodd a'u trysori. Nid storïau lleol yn unig oedd yn llifo ar yr aelwyd chwaith, roedd ei dad wedi teithio'r byd ar y môr ac wrth ei fodd yn adrodd hanes ei anturiaethau. Byddai nain Ifor Owen hefyd yn gofalu bod ei orwelion mor eang â phosibl trwy anfon y **Children's Newspaper** ato yn wythnosol. Nid plentyn di-ddiddordeb ac yn sicr nid plentyn diddeall oedd hwn, ond plentyn a amddifadwyd o hanes ei bobl ei hun yn ei ysgol leol.

Ond wedi mynd trwy gwrs coleg cyrhaeddodd yn brifathro Croesor, ac yn bwysicaf oll cyrhaeddodd Ael-y-Bryn, cartref Bob Owen-

Eithr wele, Bob Owen yn cynnig math arall o hanes i mi, hanes lleol yn llawn lliw a digwyddiadau difyr am bobol gwirioneddol, a hwnnw'n cael ei adrodd wrthyf gyda brwdfrydedd byrlymus Bob Owen.

Fel y mae'n disgrifio ei hun fe daniwyd ei ddiddordeb ysol mewn hanes yn enwedig pan glywodd yng nghanol y sgyrsiau difyr hynny yng Nghroesor bod y Crynwyr yn cyfarfod ar fuarth ei gartref yn Pentre-Tai-yn-y-Cwm, ac yntau'n gwybod dim am y peth, bu hynny'n drobwynt iddo ac fe ddywed -
Os oedd yn gas gen i hanes yn yr Ysgol Ramadeg mi ddeuthum dan ddylanwad Bob Owen i gymryd diddordeb heintus yn hanes lleol pob ardal y bûm yn trigo ynddi o hynny ymlaen.

Hyd weddill ei oes roedd ei wladgarwch, ei heddychiaeth a'i ddiddordeb ysol mewn hanes yn dair agwedd anwahanadwy ohono. Prin fod neb wedi cael lle gwell i fagu ac ymgolli yn ei ddiddordeb hanesyddol. Roedd Ael-y-Bryn yn berwi o lyfrau a Bob Owen yn feistr ar eu cynnwys. Datblygodd y chwiw casglu llyfrau yn Ifor Owen ei hun hefyd ac yn ei holl waith fe welir ôl y darllen manwl a fu. Yn bendant roedd hanes lleol yn agos at frig ei restr o ddiddordebau ond roedd y Rhufeiniaid a'r byd clasurol yn cael lle amlwg yno hefyd, mae'n siŵr bod eu pwyslais ar gelfyddyd yn apelio'n fawr ato. Cafodd y Crynwyr le amlwg yn ei lyfrgell ac yn ei waith ymchwil, datblygodd gysylltiadau â disgynyddion y Crynwyr cynnar yn America ac fel y mae WJ Edwards yn nodi yn ei bennod arno fel Cristion mae ganddo ddeunydd cyfrol bwysig ar eu hanes.

Nid darllen hanes a gofnodwyd gan bobl eraill yn unig a wnâi Ifor Owen o bell ffordd. Bu wrthi'n ddyfal yn casglu creiriau a ddaeth i'r golwg yn Llanuwchllyn, a gwybodaeth am y creiriau y daeth pobl eraill o hyd iddyn nhw er mwyn eu cofnodi yn fanwl a'u gosod yn eu cyd-destun hanesyddol. Yn y sgwrs ar 'Dylanwadau' mae'n nodi bod yr Amgueddfa yn Lerpwl y bu'n ymweld â hi yn blentyn gyda'i dad wedi bod yn ysgogiad yn hyn o beth. Gwnaeth waith pwysig iawn hefyd yn creu tri llyfr lloffion trwchus am ardal Llanuwchllyn. Mae un ohonynt yn gofnod o bopeth a ddigwyddai yn Llanuwchllyn ym 1965; y llall yn llyfr a baratowyd ar gyfer y gystadleuaeth Bwrlwm Bro, y llwyddodd Llanuwchllyn i'w hennill yn Eisteddfod Bro Myrddin 1974 dan ei arweiniad; a'r olaf yn gofnod manwl o bob cymdeithas, cyfarfod bach, traddodiad a hanesyn am yr ardal. Hawdd fyddai diystyru'r cyfrolau yma fel dim byd mwy na llyfrau sgrap. Ond fe fu Ifor Owen yn ddigon hirben i holi gwahanol drigolion y fro a gofyn iddyn nhw gofnodi hanesion am bethau y buon nhw ynglŷn â nhw. Trwy hynny cofnodwyd hanes sefydlu'r Aelwyd, y Cyfarfodydd Bach, yr Eisteddfod leol, ac felly mae yma gyfoeth o wybodaeth

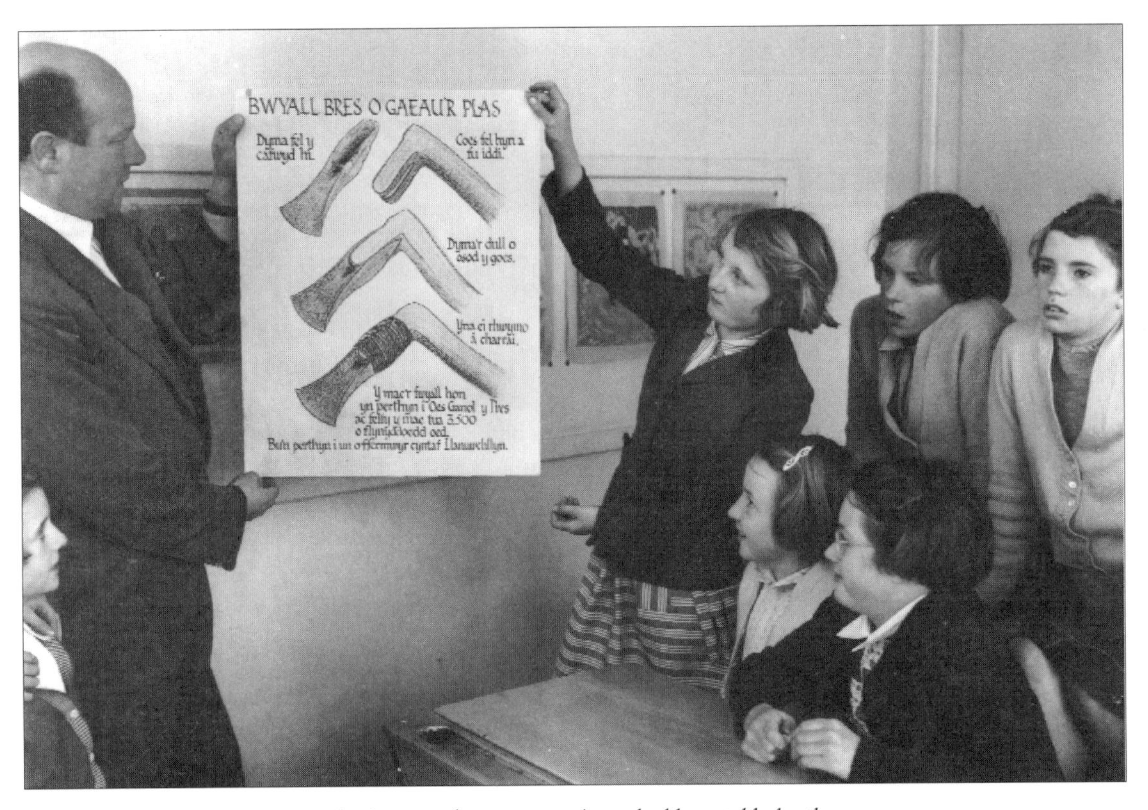

Ifor Owen yn dangos poster o'i waith i blant ei ddosbarth

werthfawr a fyddai wedi hen fynd ar goll fel arall.

Un peth yw cael diddordeb mewn hanes, peth arall yw'r defnydd y mae rhywun yn ei wneud o'r diddordeb hwnnw, yn sicr fe wnaeth Ifor Owen ddefnydd llawn o'i ddiddordeb. Roedd ei stôr o wybodaeth hanesyddol yn rhan bwysig o'i arfogaeth beth bynnag fyddai'r achlysur, boed yn sgwrs ddifyr yn y siop leol neu yn anerchiad grymus ger bron llys y Bala. Roedd ei gof gwych yn sicrhau bod ganddo ryw gymhariaeth neu hanesyn addas bob tro. Defnyddiodd bob cyfle i ennyn y brwdfrydedd oedd ganddo am y pwnc ym mhawb oedd yn barod i wrando.

Yn yr ysgol

Wrth sôn am ei gyfnod yn brifathro yn Llanuwchllyn yn ei sgwrs i Radio Cymru ar 'Dylanwadau' dyma a ddywed

Yn wir tra bûm i yno yn brifathro teimlwn fod OM yn edrych dros fy ysgwydd drwy gydol yr amser. Am y chwe mlynedd cyntaf buom fel teulu yn Hen Dŷ'r Ysgol lle bu OM ieuanc yn gwisgo'r "Welsh Not". Yna ers deg mlynedd ar hugain 'rydym ni wedi bod yn byw mewn rhan o'r Neuadd Wen, sef y tŷ a gododd OM pan wnaed ef yn Brif Arolygydd Ysgolion Cymru.

Fe drosglwyddodd yr ymwybyddiaeth gyson yma o O M Edwards i'w ddisgyblion gan roi pob cyfle i ni weld gwirionedd geiriau O M Edwards oedd yn ganolog i athroniaeth Ifor Owen hefyd -

"Mae'r oll yn gysegredig – pob bryn a phant. Mae'n gwlad yn rhywbeth byw, nid yn fedd marw dan ein traed. Mae i bob bryn ei hanes, i bob ardal ei rhamant. Mae pob dyffryn yn newydd, pob mynydd yn gwisgo gogoniant o'i eiddo ei hun. Ac i Gymro, nis gall yr un wlad arall fod fel hyn. Teimla'r Cymro fod ymdrechion ei dadau wedi cysegru pob maes, am fod awen ei wlad wedi sancteiddio pob mynydd. A theimlo fel hyn a'i gwna'n wir ddinesydd."

Ifor Owen yn dangos ei fodel o Gaergai i blant ei ddosbarth

Nid mater o ddarllen llyfrau sych oedd hanes i ni dan ei ofal – roedd posteri celfydd ar y waliau yn dweud ambell i hanesyn lleol, roedd model o'r gaer Rufeinig yng Nghaergai yno yn y dosbarth i ni ei bodio a chaem storïau difyr am ddarganfyddiadau archeolegol yn yr ardal. Fe gofiaf ei fod yn sôn llawer mor bwysig fyddai dod o hyd i deiliau to Caergai fyddai'n nodi pa leng oedd yn gwersylla yno. Gan ei fod wedi tanio chwilfrydedd ynof bûm yn crwydro aml i nant a ffos yn chwilio, a mawr oedd y cyffro wrth feddwl yn siŵr fy mod wedi cael gafael yn yr allwedd bwysig honno, cyn sylweddoli yn siomedig mai dim ond darn o rhyw hen bibell ffosio oedd gennyf.

Dull arall effeithiol iawn oedd ganddo o'n dysgu am ein hanes oedd mynd a ni am dro hyd yr ardal, fe gofiaf daith i Gaergai a thaith arall i fynwent eglwys Llanuwchllyn yn dda a bwrlwm ei frwdfrydedd yn cael ei drosglwyddo i ninnau. Roedd enwau arwyr yr ardal fel enwau hen ffrindiau i ni a'u hanes yn rhan o'n hanes ninnau.

Weithiau caem ymestyn ein gorwelion hefyd a chael mynd am drip. Nid rhyw ddigwydd ar ddamwain fyddai'r tripiau chwaith, byddai cynllunio gofalus ymlaen llaw bob tro a'n camp ni blant fyddai llunio llyfrynnau yn nodi pob cartref hanesyddol, castell, tref a llecyn o ddiddordeb y byddem yn mynd heibio iddyn nhw ar ein taith. Roedd ganddo'r ddawn o wneud pob hanesyn yn berthnasol i ni ac mae popeth perthnasol yn llawer mwy diddorol. Llwyddodd i roi sylfaen gadarn i bob un o'i ddisgyblion trwy ein dysgu am yr hyn oedd wrth ein traed i gychwyn ac yna ehangu'r stori i bob cwr o Gymru a'r byd.

Tua diwedd ei sgwrs ar gyfer 'Dylanwadau' fe ddywed Ifor Owen fel hyn am O M Edwards
Does ryfedd ei fod yn edrych dros fy ysgwydd i'm hannog i wneud fy ngorau i weithredu yn ôl ei ddymuniad. Gobeithio na wnes i mo'i siomi!

Go brin.

Yn yr Ysgol Sul

Yn yr Ysgol Sul wedyn roedd hanes yn rhan fawr o'r dysgu. Llwyddai i roi pwyslais ar y cefndir hanesyddol i ni gan greu darlun crwn o'r cyfnod ac amgylchiadau'r bobl ac roedd ar ei orau yn trafod hanes y Cristnogion cynnar yn Rhufain a'r modd y daeth y Rhufeiniaid â Christnogaeth i bob rhan o'r Ymerodraeth. Roedd y cysylltiad lleol trwy Gaergai yn cryfhau ein diddordeb ninnau ynddyn nhw. Roedd awr yn diflannu yn gyflym iawn wrth i ni gael ein harwain hyd strydoedd Rhufain.

Dosbarthiadau Nos

Nid plant yr ardal yn unig fu'n manteisio ar ei wybodaeth wrth gwrs, fel y dywed Megan Davies

Bu yn cynnal dosbarthiadau nos yn y Bala, yn ystod y gaeaf ddechrau'r wythdegau. Fe gefais i a Mrs Catrin Roberts y Gyrn y fraint o'u mynychu.

'Hanes Penllyn' oedd y testun a chafwyd darlithoedd hynod ddiddorol. Dyma rai ohonynt - Y Tirwedd, Oes y Cerrig, Y Celtiaid, y Rhufeinwyr ac Y Seintiau. Yna hanes y Tywysogion, y Porthmyn a'r Crynwyr. Aed ymlaen i sôn am yr Uchelwyr gan gynnwys hanes teulu'r Rhiwlas a Glanllyn. Gorffennwyd gyda hanes Radicaliaeth Penllyn. Yr oedd yn hawdd gwrando arno yn traethu ac yn cyflwyno yn glir a phwyllog.

Cyhoeddi

Casglodd wybodaeth fanwl am bob cornel o bum plwy Penllyn fel y gwelir yn yr erthyglau a gyfrannodd at **Pethe Penllyn** ac wedyn yn ei gyfrol **Penllyn** ond oherwydd cyfyngiadau'r gyfrol dim ond copa uchaf y mynydd rhew o wybodaeth oedd ganddo gawn ni yno, ond mae ei gariad at yr ardal a'i hanes yn byrlymu trwyddi.

Mae ei draethawd buddugol ar Stad Glanllyn yn **Llên y Llannau** 1994 ac 1995 yn rhoi darlun llawn o'i allu fel hanesydd. Yn rhan gyntaf y traethawd mae'n crynhoi hanes Llanuwchllyn a Llangywer o'r cyfnod cynharaf un. Sicrhaodd y traethodau hir yn Eisteddfodau'r Llannau bod llawer o drysorau yn cael eu cadw hyd byth ond go brin fod yr un ohonynt wedi llwyddo cystal i grynhoi gwybodaeth o gymaint o wahanol ffynonellau a'u gweu yn un cyfanwaith celfydd. Nodwedd yr ail ran o'r traethawd yw ei fod yn cofnodi hanes yr oedd Ifor Owen yn rhan ohono, sef hanes gwerthu'r stâd a'r ymdrech fawr i sicrhau bod y tenantiaid yn cael ei chynnig yn y pen draw. Mewn un traethawd felly mae'n cyflawni dwy agwedd bwysig ar waith yr hanesydd, sef cofnodi hanes nad oedd wedi ei gofnodi yn unman arall ac yna dehongli hanesion o wahanol ffynonellau i greu un darlun cytbwys. Roedd yn feistr ar y ddwy grefft.

Fe wyddom fod hanes Penllyn ar flaen ei fysedd ond trwy ei gyfraniad yn **Atlas Meirionnydd** fe welir cip ar faint ei wybodaeth am yr hen Feirionnydd i gyd. Yno mae'n rhestru gŵyr enwog pob ardal dros y canrifoedd a'u dyddiadau. Gwaith manwl oedd yn gofyn am ddycnwch mawr ar ei ran.

Yn ei ysgrif goffa i Bob Owen yn **Meirionnydd** dywed Ifor Owen fel hyn:

"Disgybl wyf, ef am dysgawdd." Athro dihafal ydoedd, oherwydd yr oedd yn byrlymu brwdfrydedd.

Gallaf finnau a llaweroedd o blant a thrigolion Llanuwchllyn ddweud yr un modd amdano yntau.

Beryl H Griffiths

PENTRE TAI YN Y CWM

Saif ffermdy Pentre-Tai-yn-y-Cwm yn ucheldir Cefnddwysarn. Yn wir dyma'r fferm olaf cyn croesi i'r mynydd-dir eang sy'n gwahanu ardaloedd Cwmtirmynach a Llangwm oddi wrth ardal Cefnddwysarn. Yn yr oesoedd gynt yr oedd yma bentre mewn gwirionedd, lle mae Nant Hir a Nant Cwm Da yn ymuno i ffurfio Afon Meloch. Cofiaf ddau ffermdy yma, ac y mae sylfeini tua chwech o fythynnod yn y buarth. Yn y bythynnod hyn yr oedd crydd yn gweithio, ac y mae ei labston (last) gennyf â'r dyddiad J.R. 1820 wedi ei gerfio arni. Yr oedd yma siop lestri hefyd, ac y mae rhai o'r llestri a brynwyd ynddi gan Edna, fy chwaer, hyd heddiw.

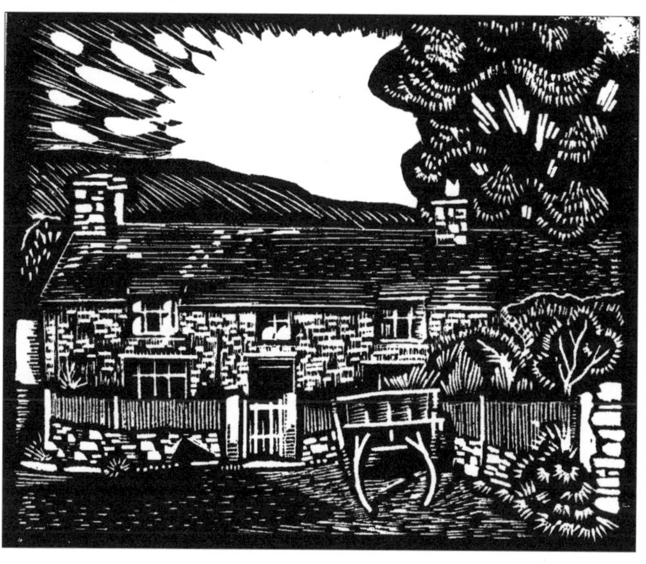

Ysgythriad pren o'r ddau dŷ yn Pentre Tai yn y Cwm. Yr un â throl o'i flaen yw'r un lle maged Ifor Owen.

Codwyd y Pentre mewn llecyn pwysig yn yr hen oes, pan ddefnyddid llwybrau troed, a llwybrau ceffyl yn hytrach na ffyrdd fel rhai ein dyddiau ni. Roedd yma groesfan bwysig, gyda llwybrau yn arwain yma, ac yn croesi i bob cyfeiriad. Deuai llwybr dros ystlys Moel Emoel o gyfeiriad Cwmtirmynach a'r gogledd. Deuai'r llwybr arall o gyfeiriad Llangwm ac Uwchaled dros ysgwydd Foel Daran. Ai llwybr ymlaen heibio Cwmchwilfod tua'r Bala a'r Gorllewin. Un arall heibio Rhyd y Wernen a Chwmmain tua'r Dwyrain a Sir Ddinbych. Arweiniai un arall eto heibio Coed y Bedo, Ysgubor Fawr a'r Sarnau. Yna ymlaen draws y gors i Landderfel a thros y Berwyn i Bowys a'r Deheudir, Dyffryn Hafren a Gwlad yr Haf.

Ar hyd y llwybrau hyn yr oedd mynd a dod yn barhaus, a does dim rhyfedd i gymaint o lawysgrifau pwysig ddod i feddiant Evan Thomas, Cwmchwilfod, (bu farw 1781 a'i gladdu yn Llanfor). Gŵr diddorol iawn oedd Evan Thomas, yn cymryd diddordeb mawr mewn meddyginiaethau a gweithgareddau gŵr hysbys. Ond stori arall yw honno.

Erbyn heddiw nid oes ond un ffermdy ym Mhentre-Tai-yn-y-Cwm. Gynt mae'n siŵr fod poblogaeth uchel iawn yn y cwm hwn, gan fod adfeilion llawer tyddyn yn y cyffiniau agos, gellid yn rhwydd ddisgwyl dros gant o drigolion o fewn cylch o hanner milltir, o gyfrif yr oedolion a'r plant. Oherwydd ei fan canolog daeth Pentre-Tai-yn-y-Cwm yn fan cyfarfod hwylus. Yn yr ail ganrif ar bymtheg, pan oedd llawer o Grynwyr yn ardaloedd Cwmtirmynach, Nant Lleidiog a Chynlas, yr oedd yn fan cyfarfod hwylus i'r cymdeithasau dewr hyn.

Yn 1669 pasiwyd Deddf yn gwahardd addoli oddi allan i Eglwys y Plwy yn Llanfor neu Llandderfel. Roedd y Ddeddf yn cadarnhau deddfau cynharach a waharddai i fwy na phedwar gyd-addoli gyda'r teulu mewn tŷ annedd. Roedd y Ddeddf newydd yn:-

Rhoi hawl i atafaelu anifeiliaid rhai a ddelid

Dirwyo'r pregethwr i £20, £40 yr ail gyhuddiad

Dirwyo perchennog y tŷ i £20

Dirwyo swyddogion, constabliaid, siryfion, gwarcheidwaid y tlodion ac ustusiaid na weithredent y ddeddf i £100 (Arian mawr yn yr oes honno)

Ond gwaeth na'r cwbl roedd gan rai a ddadlennai ble roedd y Crynwyr yn addoli hawl i drydedd ran y ddirwy ariannol, neu o'r anifeiliaid a atafaelid. Daeth achwyn yn alwedigaeth broffidiol iawn i rai pobl. Dau o'r achwynwyr mwyaf dygn oedd Robert Wynne o'r Gwnodl, a Robert Evans o Bant y Ffynnon. Ar y Sul olaf o'r Ail fis 1674, wedi bod mewn un neu ddau o fannau eraill ar eu perwyl budur, wele'r ddau yn disgyn hyd un o'r llwybrau i fuarth Pentre-Tai-yn-y-Cwm, a dal 40 o Grynwyr yn addoli o gwmpas carreg fawr yn y buarth. Dyfynnaf o lythyr Robert Wynne i ddangos mileindra'r ymgyrch yn erbyn y Crynwyr. Gwnaf hynny yn ei Saesneg gwreiddiol

Y ddau dŷ yn Pentre Tai yn y Cwm

"...yet, upon the same day about 40 of the Quakers assembled at a place called Pentre yn y Cwm, they flocked there about a great stone in a yard, like beasts in a market, standing mute, and expecting the motion of the Spiritt, but it seems the Spiritt deceived them, for he slept that day, by reason whereof they all gazed one upon another like fools in Bedlam..."

(Bedlam, wrth gwrs oedd Ysbyty Bethlehem yn Llundain lle cedwid rhai wedi colli eu pwyll.) Yn anffodus ni wyddom beth fu tynged y 40 Crynwr uchod. Un peth sy'n sicr, roedd pocedi Robert Wynne a Robert Evans dipyn yn llawnach.

Ifor Owen
Pethe Penllyn Cyfres Newydd Rhif 5 a 6 Mawrth ac Ebrill 1993

BARDD

Roedd Ifor Owen yn un o blith y niferoedd o feirdd Cymru sy'n sgwennu o ddyletswydd. Sgwennu am eu bod yn teimlo bod rhaid cefnogi rhyw gyfarfod bach, Eisteddfod neu ddigwyddiad lleol yn hytrach na sgwennu o ran sgwennu. Ond diolch byth am yr ymdeimlad hwnnw o ddyletswydd neu mi fyddai ein barddoniaeth fel cenedl yn llawer tlotach.

Prif symbylwyr Ifor Owen oedd y Cyfarfodydd Bach niferus yn lleol, Eisteddfod y Llungwyn yn Llanuwchllyn ac eisteddfodau eraill y Llannau, Ymrysonau amrywiol a Gŵyl yr Ysgol Sul. Gŵyl oedd hon a gynhelid yn flynyddol yn y Bala rhwng Ysgolion Sul y capeli Methodistaidd yn y fro ac roedd pob cerdd yn golygu marc arall i Ysgol Sul Glanaber.

Mewn mydr ac odl y mae'r mwyafrif o'i gerddi cynnar. Gwelir dylanwad yr hen benillion yn drwm ar ei waith. Wrth sôn am hiwangerddi yn ei sgwrs ar 'Dylanwadau' dywed

Rydwi yn clywed Mam yn ei adrodd i sigl ei gliniau yn y llais melodaidd sy'n nodweddu tafodiaith merched Penllyn. Yn ddiarwybod i mi rhoesant i mi gariad at sigl a rhithmau llinell, a chlust at odl swynol.

Ac mae'r rhithmau hynny a'r odlau swynol yn sicr yn amlwg yn ei waith. Wrth fynd yn hŷn trodd fwy fwy at y vers libre oedd yn gweddu'n rhagorol i'w arddull.

Fel y byddech yn disgwyl mae'r cerddi yn adlewyrchu golwg artist ar ei fyd ac yn llawn o'i wladgarwch angerddol, ei heddychiaeth bendant a'i frogarwch ac mae'r ymdeimlad o gyfoeth y gorffennol yn treiddio trwyddynt. Dyma gasgliad o rai ohonynt wedi ei dosbarthu'n fras i bedwar dosbarth: cynefin; natur; crefydd a heddychiaeth ac arwyr a chydnabod.

Cynefin

PENTYMOR

Mae'r Hydre'n awr ym Mhenllyn
  Yn llosgi'r coed â'i nwyd,
A minnau'n torri 'nghalon
  Ynghanol creigiau llwyd –
  Y creigiau moelion llwyd.

Mae lloergan naw nos olau
  Uwch meysydd ŷd y Cefn,
A minnau'n drist fy ysbryd
  Mysg trumau gwyllt di-drefn –
  Y trumau brwnt di-drefn.

Mae gwrychoedd yn y Sarne
  A chloddiau cynnes clyd,
Ac O! 'r wyf wedi blino
  Ar grawiau oer o hyd –
  A cherrig oer o hyd.

Ysgythriad sgraffwrdd - Pentre'r Sarnau

Mae bechgyn y Cefn yn eistedd
  Ar wal y Ffatri'n rhes,
A mi fan yma'n unig,
  Rhaid imi ddod yn nes –
  Rhaid im gyflogi'n nes.

CORS Y SARNE

Cors y Sarne
    Wrth odre'r bryn
Sydd fro o ledrith
    Bob bore gwyn.

Crawcwellt melyn
    Liw gwenith haf,
A phlu y gweunydd
    Yn dawnsio'n braf.

Llygaid aeron
    Fel mwclis drud,
Helygen leddf
    Yn wylo o hyd.

Hwyaid ofnus
    Mewn llyn bach clir
Troellwr yn rhwygo
    Yr hwyrddydd hir.

A chyda'r nos
    Daw'r barrug gwyn
Dros Gors y Sarne
    Wrth odre'r bryn.

HEN ORSAF Y BALA

Fe welodd Dewi Hafesb di yn dwyn
    Llain dda o irgroen bol hen Green y dre,
A sgrech y trên yn dychryn Llyn a llwyn
    Lle bu'r Eleias mawr yn godro'r Ne.

Bu ffermwyr ffair yn disgyn yn llu ffraeth,
    A throi tua thre yn godog, foliog, fawr
Ymwelwyr haf anghyfiaith yma a ddaeth
    I droedio min y Llyn am ennyd awr.

Ac fel rhyw iawn am ysu'r Green â'th wanc
    Fe hwyliaist lawer stiwdant tua'i Sul,
A'i fag yn llawn o hyder eirias llanc
    Am arwain gwerin gwlad i'r llwybr cul.

Ond heddiw, nid wyt ben y ffordd i'r Gair,
Na fflodiat swnllyd i dorfeydd y ffair.

ATGOF

Moel Emoel yn y niwl,
Gylfinir uwch y brwyn,
Meloch felen yn llarpio'r mawn –
Bref oen ar dwyn.

Moel Emoel yn y tês,
Gwenoliaid uwch y brwyn,
A Meloch fach yn loyw fain –
A'r llus ar dwyn.

Y RHESWM

Fy ngyfaill mwyn, bu Duw yn hael mi wn
Pan greodd odidowgrwydd craig a llyn,
A dwfn ddihysbydd hud y dyffryn hwn:
Ond maddau'r tro, ni allaf i er hyn
Garu a chalon lawn d'Eryri di.
Cans cofiaf ddydd â'r niwl yn donnau hir
Yn troelli uwch Tafolog, cofiaf gri
Gylfinir unig gyda'r hwyr uwch tir
Y Rhos. Cerddais hyd lethrau'r Llwyn a'r Llain
I wylio'r defaid adeg geni'r ŵyn.
Wrth 'sgota dwylo yn llyn dŵr Tŷ Nain
Fe wlychodd Gwynn a minnau at ein crwyn.
A dyna pam y glyn fy serch yn dynn
Wrth henfro heb odidog graig na llyn.

COED

O! fel y tonnai'r cnwd a Ffridd y Gwalch
Dan haidd a cheirch,
A'r borfa felys yn yr Erw Galch
Dros garnau'r meirch.

Hen Nant Cwm Du yn canu'n Weirglodd Frith
A'i graean glân
Dan draed y plant yn llathraidd garped brith
O emau mân.

Diwylliant syber yr arloesi hir
Ar faes a chlawdd,
A gwead gwâr hwsmonaeth hen y tir
I'r fro yn nawdd.

Ond heddiw, mae'r Nant a Ffridd y Gwalch
A man yr oed,
A'r glân hwsmonaeth, a'r gwareiddiad balch
Yng ngwyll y coed.

Y CNICHT

Fe ddywed y Sais wrth dy ddringo di
Mai parodi o'r Matterhorn a'r Jungfrau wyt ti.

Ac ni wêl chwarelwr o'r Pentre lle trig
Fawr iawn o werth yn dy gerrig brig.

I'r doeth yn ei gell, a'i law dan ei ên,
'Dwyt ti'n ddim iddo ef heb dy enw hen.

Ond gwn fod rhagorach swyn ynot ti
Na cherrig a pharodi ac enw i mi;

Cans gwyliaist Bryderi yn dychwel i'w dud
Heb wybod fod angau wrth y Felen Ryd.

Rhoist noddfa i eryr ymhell o dref;
A wyddit ti mai Lleu ydoedd ef?

Matholwch a'i Wyddyl, wrth ddyfod i dir,
A'th welai cyn uched â'r Wyddfa yn wir.

Mi wyddwn fod arall swyn ynot ti
Na cherrig a pharodi ac enw i mi –
Mae ienctid fy Nghenedl yn dy hirgof di.

Cerddi Natur

CHWITHDOD

Fioled wen ym môn y gwrych
A chân ehedydd uwch y ddôl,
Ac ar fy mron dy ben bach crych.

O gwêl a gwrando f'annwyl i,
Cans ni ddêl eto 'nghyd –

Fioled wen ym môn y gwrych
A chân ehedydd uwch y ddôl,
Ac ar fy mron dy ben bach crych.

CAE ŶD

'Does dim prydferthach yn y byd yn grwn
na chae o ŷd,
yn plygu dros y gefnen grom
i gwr y coed.

Dim,
os nad yr union gae
yn rheng ar reng o 'sgubau tynn
yn ymdaith tua'r coed
dros gefnen grom.

HAF GWLYB

Hwyed fu Gorffennaf wrth ddisgwyl haf,
Tin-droi yn y buarth, a'r gadlas i ddisgwyl haf,
A hyd eithaf Medi, disgwyl yr haf.

Mihangel a anfonodd yr haul a'r gwynt,
Ac meddem, "Wele daeth yr haf."
Ond gwineufflam y rhedyn oedd ar y llethrau,
Ac uwch y ddôl nid oedd gwennol mwy.

PENLLYN

Paid byth â phlygu pen, fy Mhenllyn gu,
Pan glywi glochdar balch y Saeson ffraeth
Yn canmol campau eu cyndadau hy,
A chlodydd coch eu llengoedd ar bell draeth.

Cofia'r tyddynnod yng ngheseiliau'r ffridd,
Lle methodd gorthrwm bylu'r breuddwyd pur,
A chofia rai o'th blant fu'n trin dy bridd
A gurwyd o'u hen fro gan ddyrnau dur.

Cofia'i hamynedd yn dy rug a'th frwyn,
A thithau'n grintach iawn o droi yn fwyd
Y llafur a aberthwyd er dy fwyn,
Nes creithio'r enaid gan dy gerrig llwyd.

Fy Mhenllyn Wen, O! cwyd dy ben yn wir –
Mae llwch y cewri drud yn hedd dy dir.

Map o Bum Plwy Penllyn

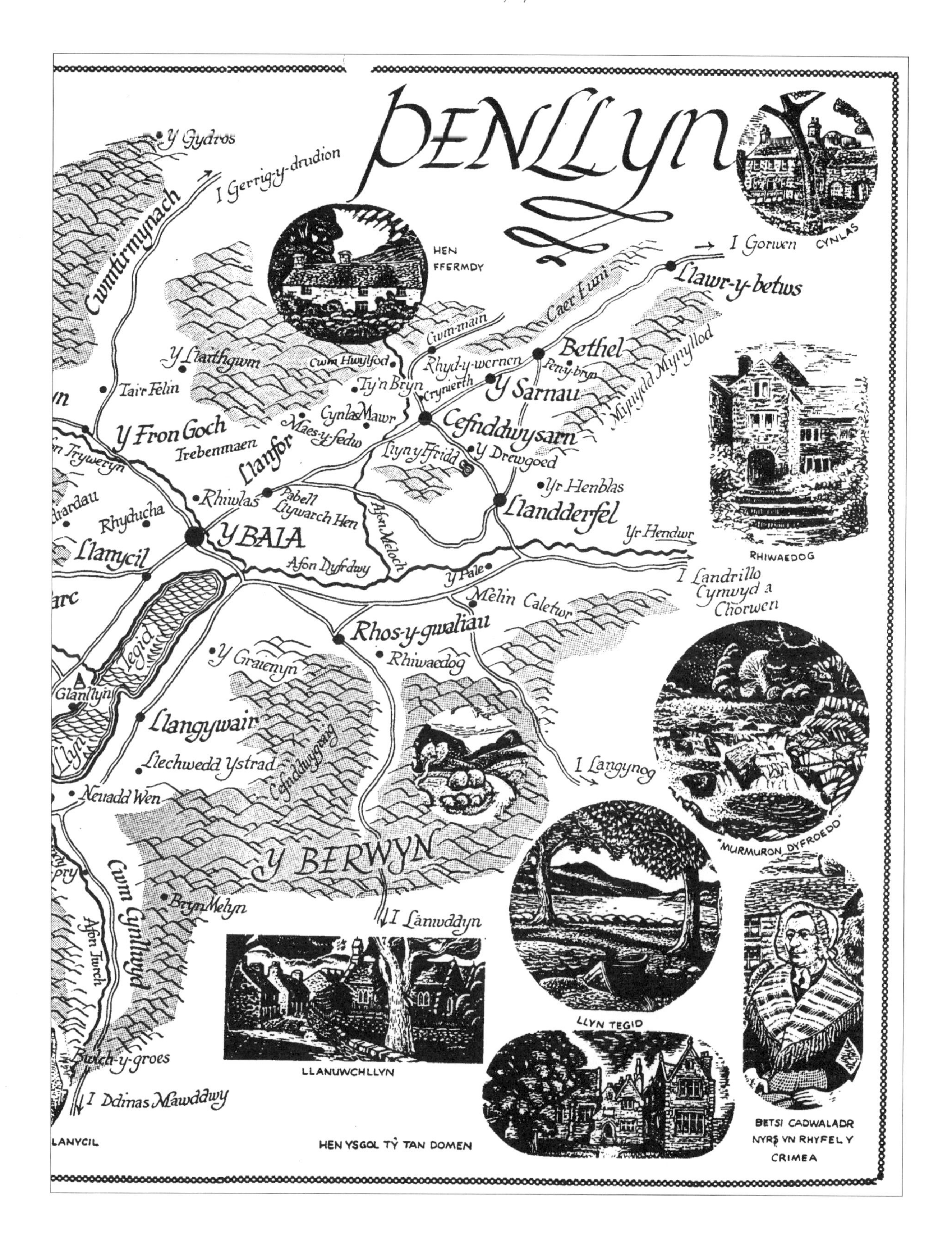
PENLLYN
Y Gydros
I Gerrig-y-drudion
Cwmtirmynach
HEN FFERMDY
CYNLAS
I Gorwen
Llawr-y-betws
Caer Euni
Cwm-main
Y Llaithgwm
Cwm Hwylfod
Rhyd-y-wernen
Bethel
Pen-y-bryn
Mynydd Mynyllod
Tai'r Felin
Ty'n Bryn
Crynierth
Y Sarnau
Cynlas Mawr
Cefnddwysarn
Y Fron Goch
Maes-y-fedw
Trebenmaen
Llanfor
Llyn y Ffridd
Y Drewgoed
Yr Henblas
Rhiwlas
Pabell Llywarch Hen
Afon Meloch
Llandderfel
Rhyducha
Llanycil
Y BALA
Afon Dyfrdwy
Yr Hendwr
Y Pale
I Landrillo Cynwyd a Chorwen
RHIWAEDOG
Melin Caletwr
Rhos-y-gwaliau
Y Graienyn
Rhiwaedog
Tegid
Glanllyn
Llangywair
Llechwedd Ystrad
Cefnddwygraig
I Langynog
Neuadd Wen
"MURMURON DYFROEDD"
Y BERWYN
Bryn Melyn
Cwm Cynllwyd
Afon Twrch
I Lanwddyn
LLANUWCHLLYN
LLYN TEGID
Bwlch-y-groes
I Ddinas Mawddwy
LLANYCIL
HEN YSGOL TŶ TAN DOMEN
BETSI CADWALADR
NYRS YN RHYFEL Y
CRIMEA

Crefydd a Heddychiaeth

EGLWYS GADEIRIOL
Distawrwydd yn tyner donni
O gangell i allor wen,
Diyngan, dichwyth wrando
Llais y Nef,
Sŵn yr hoelio
Ar bren.

Bwa uwch bwa'n llamu,
Colofn wrth golofn hir
Fel bysedd, taer fysedd meinion
Yn nwys weddi
Plant dynion
Am y gwir.

Saffir y Saint ar y gwydr,
A gwin y Gwaed rhwng y plwm,
Meddal lewyrch y symffoni lliw
Yn y gwyll,
Miragl gwiw
Gwydr a phlwm.

BRWYDR
Ryfedded gweld Cristnogion
Yn casglu ger rhyw fedd
I roi clodforus ffarwel
I glai sy'n awr mewn hedd.
Ymhell cyn adwy'r fynwent
Aeth enaid hwn yn rhydd
I gôl ei Dduw i nythu
Rhag erwau'r ywen brudd.

Ac os yw ef yn plygu
Dros ganllaw'r Nef ddi-fai,
Daw deigryn bach i'w lygaid
Wrth weld dyrchafu clai.
Gwêl frwydr hir dynoliaeth
Rhwng truan lwch a ffydd,
A mythau hen y cynfyd
Ym mynnu cario'r dydd.

NOS NADOLIG
Mor oer fu'n byw eleni ...

Bu manddail yr eirlys
Yn gwthio o'r ddaear,
ac aur y cennin ar y lawntiau llwyd;
ond 'welsom ni mo'r angau'n gwelwi
na'i Atgyfodiad Ef.

Buom yn trafod coed
ac yn naddu pren,
yn curo hoelion dur,
miniog, hirion, hyll,
heb gofio Pren Calfaria
a'r Groes yn y gwyll.

A'r us o'r ysgub drom,
ni losgwyd ef
â Thân Anniffoddadwy.

Heno, nid awn i'r drws
yn ddau a dau
i ddangos Seren Bethlehem,
a gwyddom na phenlinia'r ych
yn y beudy'n awr,
a chafn y bwyd ydyw'r Preseb mwy.

Ac nid yw'r Baban heno
mewn na chot na chrud,
ac ar wyneb y fam
ni welir mwy
dawel orfoledd Mair.

Mor oer ein byw ...

SARAJEVO
(Wedi gwylio seremoni agor Olympiad y Gaeaf yn Sarajevo, a sylwi ar wynebau llawen yr Ieuenctid oedd yn perfformio.)

Ie'nctid y gwledydd a'u gwên yn heintus
Hyd lwybrau'r Stadiwm yn camu'n weddus,

Yn symud i rythmau hen y gwerinoedd
Yng ngolau'r fflam a rychwantodd ganrifoedd.

Yn golchi'r ystaen yn Sarajevo
Pan daniodd gwreichionen fflamau'r infferno.

Ac eto mewn llys a seneddau ynfyd
Meginir gwreichionen a chesglir y cynnud.

Hen ddynion piwis a merched durol
A'u ffydd o hyd yn y dwrn tragwyddol.

O Dduw, dyro daw ar eu hefru a'u hudo,
Inni glywed y gân sydd yn Sarajevo.

Ifor Owen, Winnie, Cissie a Gerallt Jones

Cerddi i arwyr a chydnabod

W.D.
"Rhyw bwt o Lawr y Betws", a fu gynt
    Yn llanc wrth draed y Geufron a'r Gist-faen.
Rhamant Mynyllod a fu'n llywio'i hynt,
A hud Edeyrnion fras o'i drig ar daen.

Gwerin Cilgwri a roes iddo iaith,
    Bu'n coethi ac ystwytho teithi hon
Fel na fu brin o eiriau ar ei daith
    Wrth nyddu cerdd, wrth eisteddfota'n llon.

Er crwydro o'i Edeyrnion hoff ymhell,
    A thario'n hir yng ngwyll anghyfiaith fro,
I Feirion daeth yn ôl o'i grwydro pell,
    I glyw direidi'r Llwyd, a rhemp R.O.

Hendrefu mwyach i greu gloyw lên,
"Y Pwt o Lawr y Betws" nad â'n hen.

HIRAETH
'Roedd disgwyl Gerallt i'r Gwyndy am sgwrs
    Fel disgwyl Cyfarwydd gynt at y tân,
Fe nyddid chwedl, a cheid olrhain cwrs
    Y byd mawr, a'r Pethe, cynghanedd a chân.

Byrlymai hiwmor yn nhafodiaith y Cei –
    Tristái yng nghysgod caethiwed ei wlad,
Ynfydrwydd cynghorwyr a'u triciau slei,
    A gwleidyddion llesg yn anwesu'i brad.

Heb chwythu ffanffer, gwnai ddrama a cherdd
    Yn llawforynion ei Arglwydd a'i Lyw,
Loes i'w enaid oedd gweld ffordd mor werdd
    Yn arwain at Allor unig ei Dduw.

Bu diwedd chwedl ym Mynwent y Wig,
Ac ni ddaw'r Cyfarwydd byth eto i'm trig.

COFIO MEINIR

Bu Meinir yn actio yn Ysgol O.M.
A'i 'Modryb Deina' mor famol ei threm.

Ar lwyfan y Llan drwy'r blynyddoedd maith
Bu gwefr ei hystum a bwrlwm ei hiaith.

Ei drama olaf oedd ei chwpan llawn,
A hithau'n cuddio ei chlwy gyda'i dawn.

Rhag llygaid craff cynulleidfa'r Ddôl Fach,
Rhag teulu a ffrindiau â'i chwerthiniad iach.

Actores wrth reddf yn actio drwy'r dydd
Heb gwyno unwaith, heb ddeigryn ar rudd.

A bu'n driw i'w phart, cans bu lawen y tŷ
Hyd y llenni olaf – dyna gamp a fu.

LLWYD O'R BRYN

Rhaid dysgu mynd 'mlaen hebddo bellach,
A cheisio trefnu'r awenau a ollyngodd
Cyn iddynt ddrysu.
'Roedd eu trin yn haws tra'n sefyll
Rhwng ei ddeulin,
Gan wybod
Nad ai'r cerbyd i'r clawdd
Am ei fod ef yno
Yn gefn.

Ond rhaid dysgu byw hebddo bellach
Yn y Llawr Dyrnu.
Bydd yn rhaid taflu'r ysgubau
Ein hunain bellach,
A'u dyrnu'n drwsgwl
Ein hunain bellach.

Fydd o ddim yn yr Ysgol Sul ychwaith
I daflu'r ffrwyn ar ein gwar,
A'n gadael i garlamu'n orffwyll
O syniad i syniad,
Nes gweld nad oes borfa
Mewn anialwch,
Na ffynnon
Mewn anffyddiaeth.

A ddaw Bob Lloyd ddim ar gymowt bellach
I roi marblis i lawr cefn Meilir,
A'i alw'n 'Hen Ddyn',
Ac adrodd hanes Eilir,
A thrin y 'Pethe'.

Ond er mwyn y 'Pethe',
A Chymru,
Ac Eilir a Meilir
A'u cenhedlaeth
Rhaid dysgu byw hebddo bellach,
A chario'r baich hebddo bellach.

RHIEINGERDD

Mae 'nghariad i cyn bured
  Â'r mil dyfrglychau mân
Sy'n dawnsio i orfoledd
  Rhaeadrau Meloch lân.

Gosgeiddig yw f'anwylyd
  Fel bedwen ieuanc fain
Sy'n sefyll fel brenhines
  Ynghanol llwyni drain.

Mae'i gwefus fach cyn dlysed
  Â chriafol c'neuaf ŷd,
Sy'n gwrido perthi Penllyn
  Yn niwedd Awst o hyd.

Ac nid yw'r gwyll pan lithra
  I geunant Pont y Glyn
Mor ddu â'r nos sy'n tonni
  O gylch ei hwyneb gwyn.

A heno mae ei chariad
  Fel golau'r lleuad dlos,
Sy'n euro y cysgodion
  A gloywi dagrau'r nos.

WINNIE
'Roedd drama yn ei gwaed.
Bu'n actio
Yn nrama'r Capel
Yn Stryd St John,
Ac yn nramau'r Llan.

A bu'n gynhyrchydd.

Cynhyrchodd
Ddrama'r Teulu,
Gan ddangos i bawb ei le
A'i ddawn
Ar lwyfan bywyd.

Wedi'r cyfarwyddo,
Anaml
Y byddai neb yn anghofio'r sgript.
Ond byddai angen prompt weithiau,
Mewn penbleth neu argyfwng.
Byddai'r prompt
Bob amser yn ei le, ac yn hyglyw,
Ac ai'r ddrama ymlaen
Heb i'r cyhoedd wybod yn amgenach.

Actiodd a phromptiodd
I'r diwedd,
"Rydw i'n gwella wyst ti...
Cofia..."

Chwaraeais innau fy rhan
Rhag spwylio'r
Exit olaf,
Urddasol,
Cyn i'r llenni
Ddisgyn.

Enillodd bum cadair yn Eisteddfodau'r Llannau. Y gyntaf ohonynt yn Llanuwchllyn ym 1981 am ei gasgliad o gerddi i'r 'Ffrydiau'. Dewisodd sôn am wahanol ffrydiau hanes yn cyfuno i greu ein heddiw ni. Mae ganddo gerddi i ddigwyddiadau penodol o frwydr Catraeth ymlaen gan gynnwys

1867 (COLEG Y BALA)
I'r estron ddaw ar sgiawt o waelod gwlad
'Dyw'r Bala heb ei Lyn ond treflan lwyd
Lle rhoir i'r coesau ennyd o ryddhad
Cyn troi i'r caffi bach am bryd o fwyd.

Ac i'r hanesydd uwch ei femrwn hen
Y Domen yw rhyfeddod mawr y dre –
Mae ambell un, gan fygu cysgod gwên,
Yn holi ble ceir gweled cloch y lle!

Ond y mae Coleg acw ar y bryn,
Nid yw ar fap y teithiwr, nac yn llyfr
Y Saeson ffraeth sy'n heulo ar lan y Llyn,
Neu'n dringo Tomen las Goronwy Befr:

Ond i'r hen saint sy'n huno ger y dŵr
Nid Bala oedd Y Bala hebddo'n siŵr.

1946 (GOBAITH)
Ieuwyd dynion wrth ogau'r dreigiau,
A llwyr fu'r llyfnu – dihâd fu'r cefnau,
Eithr yn y baw 'roedd un hedyn brau.

Yn irdwf unig o'r drylliog weryd,
Tyf o ludw'n gwareiddiad ynfyd,
Hyd erwau crin torcalon byd.

Wedi'r tân wedi'r trueni,
Ar randir y difesur gyni
Boed nawdd Duw dros dy flaendwf di.

1970 (BYLCHAU)

Gwenallt, y Cristion dig a'i rymus lên
Yn rhegi diawledigrwydd dyn at ddyn,
A D.J., gyda'i lygaid pefriog clên,
Gofleidiai'r byd wrth garu'i wlad ei hun.
J.E. y pensaer, nad arbedodd glwy
Wrth godi muriau'r Gymru newydd lân.
Ac Ifan Ab yng ngro Llanuwchllyn mwy
'Rôl rhoi ei oes i i'enctid Gwlad y Gân.
J.R., a welodd 'wacter' bas ein byw,
A'i lenwi â'i fyfyrdod dwfn yn lli.
Mae Cymru'n dlotach, ac mor fylchog yw
Hen dyrrau'r gaer fu'n glyd o'i chwmpas hi.
O deued ati heddiw yn ei chur
Ryw Nehemia brwd i drwsio'r mur.

1972 (MENE TECEL IAITH Y CYMRY)

Gymru, paid a hepian rhagor,
Aeth yr iaith o Ddyffryn Maelor,
Ac nis clywir ym Morgannwg
Ond ar wefus Cymry amlwg.

A arhosi yn dy syrthni
Nes â'r iaith o fro Eryri?
Nes bo'r Saesneg fain ar Ferwyn
Ac yng nghymoedd unig Penllyn.

Wyt ti'n fodlon colli'r emyn –
Tanbaid enaid Pantycelyn?
A rhoi clo am byth ar gerddi
Bardd yr Haf, rhag c'wilydd iti.

Collir iechyd dyn dros amser,
Collir cyfoeth a'i ailadfer,
Gymru, heriaf di'n dy wyneb,
Collir iaith am dragwyddoldeb.

1979 (W.H. PUGH)

Oer a thenau y pridd yng Nghastell Hen
A'r eira cynnar ar Arennig Fawr,
A'r gwaith rhwng gwawr a gwyll fel rhuthr trên
Trwy dwnnel hirfaith ymdrech llwch y llawr.
Mor hawdd fai ymfodloni ar ei ffawd,
A byw 'ar fara'n unig' yn y brwyn,
Di-sôn, di-ddawn, diramant, llwyd ei rawd,
A'i siwrnai'n ddim ond tro o'r tŷ i'r twyn.
Ond ar y gweunydd llaith y tarddodd cân
O enaid hwn, a'i thonnau disglair hi
Lifeiriodd dros y wlad yn ffrydiau glân,
I'r 'steddfod ac i'r Cwrdd daeth gloyw li.
Gorlifwyd bro gan fwrlwm cerdd a llên
O ffynnon ddi-haf-hesb y Castell Hen.

Mae'r gerdd i'r bleidlais aflwyddiannus am Gynulliad ym 1979 yn cloi gyda'r bennill

'Mwy trist na thristwch heddiw
Wrth gofio'r aberth drud
Yw gwrando'r sisial taeog
Yng Nghymru dlawd o hyd.'

Ac yna mae'r gerdd am 1981 yn crynhoi'r cyfan ac yn crynhoi'r ymdeimlad o ddyletswydd oedd yn gymaint rhan o Ifor Owen

Gorlifwyd ffrwd ein cenedl gan ŵyr a aeth
Ar antur wyllt o'r Gogledd i Gatraeth,
Gan ddagrau Heledd ar y Berwyn gynt,
Nis byddem ni heb Owain ai seithyg hynt.

Heb Bant-y-Celyn a'r fendigaid Ann,
Heb Feibil Morgan yn ffynnon fyw'n y Llan,
Heb ddyfroedd tawel, heb raeadrau dro
Ni fyddai gennym ddim ar glawr na cho.

Cronasant inni fro a'i bywyd gwâr,
A chwmwl tysiton, cenedl, teulu a châr,
O niwl y dechrau treiglodd dagrau i lawr
I'r nentydd cudd, i ddwfn yr afon fawr.

Cawn ninnau drin ein chwedl yn ein tro,
A chadw'r borfa'n las ar ddolydd co',
Gan rwystro carthion brad rhag tagu'r nant
I lwydo'r dyfroedd a gwenwyno'r plant.

Yna mae'n gorffen ar nodyn gobeithiol gan ddweud

'Mae ienctid eto yng Nghymru
Sy'n fodlon cadw'r rhyd,
A'r iaith a garech chwithau
Ar wefus rhain o hyd.'

Yn Eisteddfod y Groglith, Llandderfel yr enillodd y Gadair nesaf ar y testun 'Synhwyrau' ym 1982. Ym mhlith y cerddi yma mae'r gerdd sy'n amlygu'r arlunydd ynddo:-

GWELD
Rhyw gryndod yw lliwiau, fe ddwedir i mi,
A'r cryndod yn donnau fel crychni ar li.

Tonnau'r lliw coch yn hir, hir eu cam
A'r glas sydd yn cerdded yn fyrrach ei lam.

A'r tonnau rhyfeddol yn gryndod bach cêl
Rhwng llygaid y bardd a phopeth â wêl.

Ond ni all na Gwyddon na neb yn y byd,
Egluro'r rhyfeddod sy'n newydd o hyd

Yng nghochni y machlud dros fynydd Pant-gwyn
A thonnau glas Dyfrdwy yn dawnsio i'r Llyn.

Mae'r gerdd a enillodd y gadair iddo yn Eisteddfod y Llungwyn ym 1985 dipyn yn dywyllach 'Sgerbydau' oedd y testun ac ynddi mae'n awgrymu bod dyn yn mynd i ddifetha'r byd ac na all ddisgwyl maddeuant gan Dduw am hynny gan gloi fel hyn

A Duw yn rhoi i'r llwch a'r barrug llym
Y blaned a fu'n cellwair gyda'i rym.

Yn Llanuwchllyn yn 1988 enillodd wedyn ar bwnc oedd yn agos iawn at ei galon. 'Gadael tir' oedd y testun gosodedig a dewisodd ganu ymson Katherine, gweddw John ap Thomas y Crynwr o'r Llaithgwm yng Nghwmtirmynach wrth iddi groesi'r Iwerydd a ffoi oddi wrth yr erlid mawr a welodd ei theulu yng Nghymru –

Hedd ar fuarth Llaithgwm.
Gweld yn y llygaid clir
Lewyrch y Goleuni
Na ddiffoddir fyth.

Sibrwd ar fuarth Llaithgwm
Fod Penn yn cynnig bro
Dros foroedd maith,
A gelli dawel,
Ddi-frad, ddi-wŷs
I blant y Golau.

Breuddwydio ar fuarth Llaithgwm
Am fro bell
A'i thiroedd mwyn,
Am hedd
O'r diwedd.

Ffarwelio ar fuarth Llaithgwm
A châr a chyfaill
O'r Wern Fawr, Gwernefail, a'r Fron Goch,
Ciltalgarth, Hafod Fadog, Coed y Foel,
Llwyn Branar, Hendre Mawr,
A Nant yr Helfa.

Mae'r enwau'n greithiau ar fy nghalon fyth.
Roedd cerdd y gadair yn Llanuwchllyn ym 1993 yn gerdd fwy personol na'r gweddill. 'Dyfroedd' oedd y testun a defnyddiodd Ifor Owen wahanol lynnoedd ei ardal i gyfleu hanes ei fywyd. Wedi cael cip ar Lyn Tegid o'r Sarnau aiff heibio Llyn y Fwyell, Llyn yr Olchfa, Llyn Creini, Llyn Celyn, Llyn Lliw Bran, Llyn Pen Aran ac yna yn ôl at Lyn Tegid-

LLYN TEGID
At Lyn y chwedlau pell
y deuthum i.

Cartrefais yn ei swyn,
a gweld a welodd
Tudur o Gaer Gai
a phrofi "Ewyllys Da"
'r hen Rowland gynt,
a gweled
dros ei ddyfroedd llyfn
y "Mynydd" welodd
Euros hwyrddydd haf

Ei weld yng nghwmni un
a'i donnau yn anfarwol las.

Ger ei fron y cwsg.

Ac nid âf innau mwy
ymhell
o atgo serch
ei ddyfroedd ef.

Llyn Tegid *Ifor Owen*

Awel Jones, Gwenfair D Jones a Beryl H Griffiths

CRISTION

Fel y nodwyd yn y bennod 'Teulu a Dylanwadau' yr oedd Ifor Owen yn mawrhau'r etifeddiaeth Gristnogol Gymraeg a ddaeth iddo drwy lafur a thystiolaeth ei hynafiaid, a chlywais ef yn dyfynnu geiriau Salm 16,6, wrth drafod y ffydd Gristnogol gydag ef droeon: 'Y mae gennyf etifeddiaeth ragorol'. Roedd yn ymwybodol hefyd o'r cyfrifoldeb o drosglwyddo a chymhwyso'r 'hen hen hanes' i deulu a theulu'r ffydd, a gwnaeth hynny mewn modd a gyfoethogodd fywydau llaweroedd. Ar wahân i ddylanwad ei dylwyth roedd Ifor Owen yn sôn o hyd am ddylanwad ffydd Cymdeithas y Cyfeillion- y Crynwyr- arno. Wrth adrodd hanes y rhai fu'n cyfarfod i addoli ar fuarth ei gartref yn y Pentre, Cefnddwysarn, dywedodd: *'Mi fu gen i ddiddordeb mawr yn hanes Crynwyr Penllyn, a chydymdeimlad mawr â'u delfrydau nhw'.* Apeliai'r addoli syml mewn tangnefedd, y pwyslais ar gymod a thrugaredd, bod pawb yn gyfartal yng ngolwg Duw, ac na ddylid cydymffurfio â'r byd hwn, ato. Fel yn achos Marion Eames yn cyflwyno stori arwrol Crynwyr ardal Dolgellau yn ei nofelau hanesyddol, **Y Stafell Ddirgel**(1969), ac **Y Rhandir Mwyn**(1972), bu Ifor Owen yn ddiwyd yn ymchwilio i stori yr un mor arwrol Crynwyr Penllyn. Cadwodd ffrwyth ei ymchwil hir mewn pedair ffeil drwchus o nodiadau a darlithoedd a gobeithio y gellir eu cynnwys mewn cyfrol.

Yn ei gyflwyniad i'w gyfrol oludog **Penllyn** (1997), mae'n ein hatgoffa am y cyfnod *'...pan fu'r Crynwyr yn niferus ym Mhenllyn. Ymfudodd llawer ohonynt i Bensylfania, gan roddi enwau'r cylch ar faestrefi yn Philadelffia, Bala, Cynwyd, Meirion, Gwynedd a Phenllyn. Aeth Sarah Evans o'r Fron-goch drosodd gyda'r Crynwyr a hi oedd hen nain Abraham Lincoln'.* Wrth ein tywys o gwmpas Penllyn yn y gyfrol mae'n sôn am gartrefi'r Crynwyr ac am Goed-y-foel dywed: *'Dyma gartref Edward Ffouke ac Elinor ei wraig a aeth gyda'u naw plentyn i Bensylfania...Mae disgynyddion y teulu hwn wedi cadw cysylltiad â'i gilydd a bydd aduniad mawr yn cael ei gynnal bob canrif. Bu'r diwethaf ym 1998 i goffau tri chan mlynedd yr ymfudo. Roedd Edward yn un o ddisgynyddion Rhirid Flaidd'.* Bu Ifor Owen yn gohebu'n gyson gyda'r disgynyddion ac y mae'r llythyrau o Gymru a Phensylfania yn y ffeiliau. Cyflwynodd ffrwyth ei ymchwil iddynt a chafodd ei wahodd i'w dathliadau fwy nag unwaith ag yntau'n gresynu na allodd fynd. Roedd un o'r Ffowciaid yr ymfudodd ei deulu o Goed-y-foel yn ymweld ag Ifor a Winnie yn gyson a chefais innau fod yn y cwmni ambell dro.

Clywais Ifor Owen yn darlithio ar hanes y Crynwyr lawer gwaith ag yntau'n falch o gael portreadu rhai o'i arwyr: Dr. Edward Jones, y Bala a aeth gyda'r fintai gyntaf i Bensylfania ym Mai 1682, cyfaill agos i William Penn. Ef a begiodd allan strydoedd cyntaf Philadelphia; Edward Foulk, Coed-y-foel; Huw Roberts, Ciltalgarth, yntau'n gyfaill i Penn ac yn aelod o lywodraeth Pensylfania; Huw Gruffudd y bardd o Grynwr o Lwyn Brain; Cadwaladr ap Huw, Wern Fawr, y cyntaf o'r Crynwyr i golli ei fferm a marw fel canlyniad i oerni llaith carchar y Bala, John ap Thomas, Llaithgwm, un o'r enwocaf ymhlith y dewrion a erlidiwyd ac a garcharwyd. Roedd yn gyfaill agos i'r meddyg o'r Bala ac ef oedd un o'r rhai cyntaf i brynu tir gan William Penn. Bu farw cyn ymfudo a chladdwyd ef yng Nghladdfa Hafod Fadog sydd o dan ddyfroedd Llyn Celyn bellach. Ymfudodd ei wraig a'i feibion ar ôl cael eu herlid fel petris ym Mhenllyn. Galwasant eu cartref newydd ym Mhensylfania yn Gelli Cochiaid, y Cochiaid, sef y Petris, wedi cael tawelwch o'r diwedd.

Byddai Ifor Owen yn hoffi dweud fod dylanwad Crynwyr ei gynefin wedi parhau hyd ein dyddiau ni am fod capeli Rhyd y Wernen a Soar yng Nghwm Main, neu Gwm Annibynia i lawer un, yn ganolfannau'r Ffydd Gristnogol o hyd. Y mae R.T. Jenkins yn mynegi'r un gwirionedd yn **Hanes Cynulleidfa Hen Gapel Llanuwchllyn**, t.33. Wrth draethu ar 'Y Crynwyr ym Meirion' gan sôn am eu brwdfrydedd a'u tân, mae'n dweud *'...mai Penllyn yn unig o aelwydydd Annibyniaeth Hugh Owen Bron Clydwr, a gadwodd y tân yn fyw. Nid bod gan Ymneilltuaeth fawr i'w ddweud wrth y Crynwyr - tuedda*

Vavasor Powel a Henry Maurice a Stephen Hughes fel ei gilydd i arfer geiriau cryfion amdanynt. Ond ym Mhenllyn, lle y torrodd Crynwriaeth gyfundrefnol (fel petai) i lawr mor fore, unig ddyfodol unrhyw anniddigrwydd at drefn a gwasanaeth y Sefydliad Gwladol oedd troi at Annibyniaeth. Beth am draddodiad y Crynwyr - am yr atgof o'u dycnwch? Noder hyn: ym mha le y bu gynt gryfder y Crynwyr ym Mhenllyn ac Edeirnion? Wel, i ddechrau, ar lannau Tryweryn, yn Nhre Ciltalgarth, yn Nhre Benmaen. Ac yno, yn gymwys, y mae achos Annibynnol Tynybont (wedi cau ers tro), mor fore â 1773 beth bynnag. Yn ail, yn Nant Lleidiog a'r cyffiniau; ac yno wele gymdeithas hynafol Rhyd y Wernen (tua'r un adeg), a'i merch a'i hwyres, Bethel (yntau wedi cau) a Soar, nepell oddi wrthi. Tybed mai damwain yw hyn oll?'

Un arall a ddylanwadodd yn fawr ar ffydd Gristnogol Ifor Owen oedd y Parchedig Hugh Pugh(1803 – 1868), brodor o Dywyn, Meirionnydd, clerc mewn swyddfa cyfreithiwr ac athro cyn dechrau pregethu ym 1824. Ym 1826, ar wahoddiad y Parchedig Michael Jones(1787 – 1853), Llanuwchllyn, daeth i ofalu am ysgol ym Methel a'r flwyddyn wedyn fe'i hordeiniwyd i fod yn gyd-weinidog ag ef ym Methel, Soar a Llandrillo. Arhosodd yn yr ardal hyd 1837 gan letya hyd ei ymadawiad i Fostyn ym 1837 yng Nghoed-y-bedo, yn ymyl cartref Ifor yn y Pentre. *'Gŵr o flaen ei oes'*, medd Ifor yn Penllyn, t.16, *'a ysgrifennai yn erbyn crogi, caethwasiaeth, y degwm, ac o blaid dadwladoli'r Eglwys. Sefydlodd ddosbarth yn y Bala i hyfforddi gwŷr ieuainc Penllyn ac Edeirnion yn egwyddorion Ymneilltuaeth a Rhyddfrydiaeth. Ef oedd tad Radicaliaeth Penllyn a esgorodd ar waith gwŷr megis Michael D. Jones, Tom Ellis, D.R.Daniel, O.M.Edwards, R.J.Derfel ac eraill'.*

Ffordd Ifor Owen o gadw'r cof am y Crynwyr yn fyw a chymeradwyo eu cred oedd llunio cardiau yn dangos eu cartrefi, ar Wasg y Gwyndy. Ac o'r wasg honno y deuai inni bob Nadolig ei gardiau trawiadol a'r penillion ynddynt yn cyflwyno'i ffydd a'i heddychiaeth Gristnogol. Dyma ambell un:

Si bei, Maban, paid ag wylo,
Ni ddaw'r Doethion yma heno;
Gwell yw ganddynt wario'u Trysor
Mewn rhyfeloedd ar bell oror.

Si bei, F'annwyl, cysga bellach,
Ni ddaw'r Werin yma mwyach;
Gwell yw ganddi sŵn a miri
Gwledd a gwin, na chofio D'eni.

Fileniwm Newydd, derbyn Ef
Yw f'ymbil, ac o clyw fy llef,
Paid fel oesau'r byd o'r bron
A throi dy gefn ar Rodd fel Hon.

Yng nghwmni Dy anrhegion drud
Cwsg heb ofn na chur,
Ond er llewyrch seren wen
Mae cysgod ar y mur.

Bob 'Dolig ers ugain Canrif
Cyflwynais fy Mab i'r byd,
Ond rhywfodd mae pawb yn rhy brysur
I dderbyn yr Anrheg ddrud.

Ysgythriad sgraffwrdd – Ciltalgarth, cartref Hugh Roberts y Crynwr

Lluniodd Ifor Owen yn ogystal nifer o emynau ar gyfer gwahanol achlysuron. Y mae'r emyn a gyfansoddodd ar gyfer priodasau ei blant yn rhagorol a gresyn na fuasai wedi'i gynnwys yn **Caneuon Ffydd:**

Llewyrch cariad Iesu arnom
Loywa'r daith hyd lwybrau'r byd,
Cariad Iesu'n llusern ynom
Wna y ffordd yn olau'i gyd.

Profi'r cariad sy'n llawenydd
Pan fo'r nen yn heulwen glir,
Pan fo llon awelon mynydd
Pan fo hardd y dyddiau ir.

Meddu'r cariad sy'n oleuni
Pan fo'r nos yn baglu cam,
Pan fo gobaith wedi siomi,
Pan fo ffydd yn egwan fflam.

Gwario'r cariad sy'n cofleidio
Dyfnder unig trallod dyn,
Cariad sydd yn cwbl glirio
Dyled drwy aberthu'i hun.

Byw y cariad sy'n sancteiddio
Meidrol gnawd yn aberth pur,
Yn rhoi nod i'n dall ysmalio,
Troi y brau yn gadwyn ddur.

Llewyrch cariad Iesu arnom
Loywa'r daith hyd lwybrau'r byd,
Cariad Iesu'n llusern ynom
Wna y ffordd yn olau'i gyd.

Dau gerdyn Nadolig o waith Ifor Owen

Yn ystod ei flynyddoedd olaf enillodd Ifor Owen droeon am lunio emynau yn Eisteddfod y Llungwyn, Llanuwchllyn. Dyma ddau bennill cyntaf ei Emyn Bedydd:

O! Blentyn sanctaidd Bethlehem
A'th ddifyr chwarae gynt,
O! tyrd at grud ein baban
Yn gwmni ar ei hynt.

O! Iesu bach y Deml
Bydd gydag ef pan dry
I fysg doctoriaid addysg
A chadw'i drem ef fry.

Yn yr 'Emyn Ar Gyfer Sul Cymorth Cristnogol' a ddaeth i'r brig yn yr un eisteddfod yn 2000, gwelwn fod pwyslais y Crynwyr ar wasanaethu cyd-ddyn a'r ochr gymdeithasol i'r Efengyl yn bwyslais canolog yn ffydd Ifor Owen yn ogystal:

Nid plygu yn y Llan
A thorri geiriau rhad,
Gan roddi'r defaid coll
Yng ngofal Duw eu Tad, -
Ond mynd ei hun, boed aeaf neu ha'
I'w cyrchu a wnâi y Bugail Da.

Nid erchi dŵr i'w roi
Mewn cawg ar lawr y tŷ
A galw'r forwyn fach
I olchi traed y llu -
Nid trefnu gwaith i eraill, na,
Nid dyna a wnâi y Meistr Da.

Nid anfon gwas i'r gwyllt
At wahangleifion tlawd,
A gwasgu'i odre'n dynn
Wrth basio ar ei rawd, -
Ond mynd ei hun i leddfu'r pla,
Dyna a wnâi y Meddyg Da.

O, Iesu'r Bugail Da,
Y Meddyg a'r Meistr hoff
Fu'n teithio llwybrau'r byd
Yn gweini i'r dall a'r cloff,
O, arwain ni o'n llannau clyd
I leddfu ing gofidiau'r byd.

Arweiniodd weledigaeth Gristnogol cwbl ymarferol Ifor Owen , a'i gyfaill Tom Jones, i hyrwyddo gwaith y Deyrnas i'r dyfodol drwy ddwyn eglwysi dau enwad at ei gilydd, at sefydlu Gweinidogaeth Bro ar ddechrau 1984. Yn haf 1966 pan ymadawodd y Parchedig Iorwerth P. Roberts â Llanuwchllyn ar derfyn pedair blynedd fel gweinidog eglwysi Presbyteraidd Glanaber, Dolhendre, Cynllwyd, a Glyngower, a phan hysbysodd y Parchedig Gerallt Jones ei fod yntau ar ôl un mlynedd ar ddeg yn rhoi'r gorau i ofalu am Annibynwyr yr Hen Gapel, trefnwyd i gynrychiolaeth o blith swyddogion y ddau enwad gyfarfod i drafod sut i sicrhau i un gweinidog i wasanaethu'r holl eglwysi. Yn dilyn nifer o drafodaethau cafodd aelodau'r eglwysi gyfle i bleidleisio ynglŷn â chael un gweinidog, ar 30 Hydref 1966. Er na chafwyd y mwyafrif angenrheidiol i fwrw ymlaen gyda'r arbrawf daliodd Ifor Owen a Tom Jones i gredu yn yr egwyddor.

Gan mai fi oedd yr unig weinidog yn yr ardal wedi imi gael fy ordeinio i ofalu am aelodau'r Hen Gapel ym Medi 1967, deliais ar bob cyfle i weinidogaethu i gyfeillion pob enwad. Roedd hynny'n cynnwys ymweld â chleifion gartref ac mewn ysbytai, cynnal oedfaon undebol, a chynnal Corlan y Plant yn y gwahanol addoldai. Roeddwn yn ffodus fod y Gymdeithas Ddiwylliannol yn cynnwys Annibynwyr, Presbyteriaid, Bedyddwyr ac Eglwyswyr, cyn i mi gyrraedd yr ardal. Yn **Y Cyfnod**, 17 Hydref, 1969, nodwyd fod aelodau'r Presbyteriaid yng Nghynllwyd wedi anfon neges i Henaduriaeth Dwyrain Meirionnydd yn gofyn am i mi gael bod yn weinidog yno. Er i'r ymateb fod yn gadarnhaol ac i'r Henaduriaeth ddweud y dylai eglwysi eraill gofalaeth y Presbyteriaid gael cyfle i drafod ni ddigwyddodd hynny er mawr siom i mi ac i nifer fawr o aelodau'r eglwysi.

Rhwng 1974 a 1982 bu'r diweddar Barchedig H.W.Hughes yn weinidog ar aelodau gofalaeth y Presbyteriaid, ac ar ôl iddo symud i Fiwmares cysylltodd swyddogion y Presbyteriaid â swyddogion yr Annibynwyr fel ym 1966 i drafod patrwm gweinidogaeth i'r dyfodol. Brynhawn Sul 13 Gorffennaf 1983 cyfarfu swyddogion yr eglwysi gan ethol Tom Jones yn Llywydd ac Ifor Owen yn Ysgrifennydd. Ffrwyth y cyfarfodydd a gynhaliwyd droeon wedyn oedd bod ymron bawb o aelodau'r ddau enwad wedi pleidleisio ar 13 Tachwedd, 1983, i sefydlu Gweinidogaeth Bro ac i bawb fod dan fy ngweinidogaeth i. Bellach roedd 500 o aelodau yn lle 250 dan fy ngofal. Dylid nodi fod capel Dolhendre wedi'i gau ym 1966 , bod aelodau Rhosygwaliau yn rhan o'r ofalaeth erbyn 1983, a bod cyfeillion Glyngower wedi ymaelodi yno wedi cau'r capel ym 1998.

Nos Sul 22 Ionawr, 1984, yng nghapel Glanaber (wedi'i ddymchwel bellach) dan lywyddiaeth y diweddar R.T. Roberts un o flaenoriaid yr eglwys, daeth cynulleidfa fawr ynghyd i Oedfa Ymgysegru ar ddechrau'r cyfnod newydd. Cymerwyd rhan gan nifer o gyfeillion a chyn imi weinyddu'r Cymun anerchwyd gan Ifor Owen a Tom Jones: *'Cyfeiriodd Ifor Owen at y ffaith mai dychwelyd at eu dechreuadau a wna addolwyr Llanuwchllyn a'r Cylch. Cychwynnodd yr Annibynwyr yn Llanuwchllyn pan ddaeth Lewis Rees dros Fwlch y Groes o Lanbrynmair ym 1737 a phregethu yn ffermdy'r Weirglodd Gilfach, Cwm Croes, yng nghesail Aran Benllyn. Yn ddiweddarach Lewis Rees yr Annibynnwr a berswadiodd ei gyfaill mawr, Howel Harris y Presbyteriad, i ddod dros yr un Bwlch i Lanuwchllyn. Cafodd Harris groeso mawr yn yr union leoedd a chan yr un bobl â Lewis Rees. Cydweithio gan ddychweledigion y ddau ŵr mawr yma a drodd ardal lle'r oedd crefydd gyfundrefnol Wladol mewn cyflwr enbydus, yn ardal yn rhoddi gwerth ar y pethau gorau.'*

'Diddorol yw sylwi mai fel 'Presbyteriaid' y gofynnodd yr Annibynwyr am drwydded i adeiladu Capel Rhos y Fedwen, sef yr Hen Gapel! Fe'i codwyd ar dir Nant y Deiliau lle cafodd Howel Harris ymgeledd wedi ei hanner ladd yn y Bala ddiwedd Ionawr 1741. Pan ddaeth Lewis Rees a Howel Harris dros Fwlch y Groes nid oedd neb yn disgwyl pethau mawr, eithr 'pethau mawr' a gafwyd. Nid oes neb yn disgwyl pethau mawr y tro yma ychwaith, eithr pwy a ŵyr?'

'Cyfeiriodd Tom Jones at yr angen am ewyllys da. Ond inni gael digon o ewyllys da o bob cyfeiriad ni all y fenter beidio â llwyddo. Yn naturiol bydd rhai poenau tyfu, ond ni all dim fod y tu hwnt i allu ewyllys da i'w goresgyn. Ac fe ellir dweud fod Ewyllys Da yn rhan o gynhysgaeth yr ardal er pan ysgrifennodd yr hen

frenhinwr duwiol Rowland Fychan o Gaer Gai ei 'Salm i Ewyllys Da' yn ei ragymadrodd i'w gyfieithiad o Yr ***Ymarfer o Dduwioldeb, 1630****: 'Oblegid pa beth a dery mor ffyrnig na eill ewyllys da ei dderbyn, pa beth sydd cyn anhawsed nas gwna ewyllys da ef yn hawdd'.*

Un patrwm ymhlith eraill yw Gweinidogaeth Bro a bu'r arloesi ym 1984 o fendith i'r wlad wrth odre'r Aran. Er i aelodau'r Bedyddwyr yn Ainon (roeddwn wedi gwasanaethu'n answyddogol yno ers 1967) ddod yn rhan o'r ofalaeth yn ddiweddarach, bu Ifor Owen a minnau, ar ôl colli Tom Jones ym 1985, yn gresynu na fyddai'r Weinidogaeth Bro wedi datblygu ac aeddfedu. Deil hynny yn her i'r aelodau o hyd.

Logo Gofalaeth Bro Llanuwchllyn

Wrth gloi, mae'n rhaid cyfeirio at un enghraifft nodedig o weledigaeth ac argyhoeddiad Cristnogol Ifor Owen a welir yn y giatiau trawiadol a luniwyd gan y gof cywrain y diweddar John Jones o Eglwys-bach, Dyffryn Conwy, ym mhorth y Fynwent Newydd, Llanuwchllyn. Ar ôl myfyrio ar un o emynau mawr y Pêrganiedydd o Bantycelyn yr aeth Ifor Owen ati i gynllunio'r giatiau:

Dyluniad giât Mynwent Llanuwchllyn

John Jones Eglwysbach a'i fab Hefin yn gweithio ar giât Mynwent Llanuwchllyn

Giât Mynwent Llanuwchllyn yn ei lle

Yn Eden, cofiaf hynny byth,
bendithion gollais rif y gwlith;
  syrthiodd fy nghoron wiw.
Ond buddugoliaeth Calfari
enillodd hon yn ôl i mi:
  mi ganaf tra bwyf byw.

Ffydd, dacw'r fan a dacw'r pren,
yr hoeliwyd arno D'wysog nen
  yn wirion yn fy lle;
y ddraig a 'sigwyd gan yr Un,
cans clwyfwyd dau, concwerodd un,
  a Iesu oedd efe.

Yng ngodre'r ochr chwith y mae symbolau sy'n cynrychioli pelydrau o oleuni, ac uwch eu pennau saith o golomennod yn hedfan allan o fedd agored. Ar yr ochr dde gyferbyn â'r pelydrau fe welir symbolau sy'n cynrychioli fflamau o dân uffern, a chyferbyn â'r colomennod ddraig marwolaeth sydd wedi'i gorchfygu. Yn y canol ar y brig rhwng y colomennod a'r ddraig, y mae arwyddlun o Grist ar y Groes. Arddel bywyd buddugoliaethus Crist y Groes a'r Atgyfodiad a barodd fod Ifor Owen wedi bod yn lladmerydd llawen i'r Ffydd Gristnogol fel Prifathro, arlunydd, bardd, emynydd, llenor, hanesydd y Crynwyr, ac fel athro Ysgol Sul, Blaenor ac Ysgrifennydd Eglwys Glanaber a'r Weinidogaeth Bro.

W J Edwards

BYD Y DDRAMA

Petaech yn mynd i unrhyw gymdeithas wledig yng Nghymru yn y chwedegau mae'n bur debyg y byddech yn dod ar draws cwmni o actorion amatur yn ymarfer mewn festri neu neuadd. Roedd cael noson o wylio dramâu - fel arfer rhyw ddwy neu dair drama fer, yn rhan o adloniant poblogaidd ein cymdeithasau. Fel gyda phob oes ers cyn cof, mae cael gwylio neu wrando stori dda yn adloniant pur - a pha ffordd well o fwynhau stori dda na chael eich cymdogion a'ch cydnabod yn ei hactio i chi ar lwyfan? Comedi neu drasiedi, doedd waeth pa run, a chofiaf yn dda fy nhad yn adrodd hanes cau'r llenni ar drasiedi ar lwyfan yn Nyffryn Ardudwy yn y pedwar degau, a'r gynulleidfa i gyd yn eu dagrau!

Mae cofnod ar gael fod cwmni drama o Lanuwchllyn yn perfformio'r ddrama 'Rhys Lewis' yn y blynyddoedd cyn y Rhyfel Byd Cyntaf. Addasiad oedd hon o'r nofel gan Daniel Owen, a'r gŵr fu'n gyfrifol am ei haddasu oedd J.M.Edwards, a aned yng Nghoed y Pry, Llanuwchllyn, brawd i O.M. Edwards. Byddent yn teithio i'w pherfformio, a fedrwn ni ddim ond edmygu'r ymdrech roedden nhw'n ei wneud wrth symud y 'props' o Lanuwchllyn i Gerrigydrudion mewn car a cheffyl. Rhaid cofio'r ymdrechion cynnar yma wrth i ninnau geisio stwffio rhyw hen soffa dyllog i mewn i drelar Ifor Williams yr oes fodern! Roedd y traddodiad yn ei le yn gynnar felly, ac mae'n bur debyg bod ffeiriau Llanuwchllyn wedi cael eu siâr o anterliwtiau cyn bod oes y dramâu llwyfan wedi ein cyrraedd.

Yn 1958 prynwyd hen ysgol y Pandy, gyda'r bwriad o'i defnyddio fel Neuadd i'r pentref, ac wrth gwrs roedd angen arian i'w rhedeg. Penderfynwyd y byddai cynnal wythnos o ddramâu yn fodd o godi arian at ddiben cynnal y Neuadd, a dyna ddechrau'r ŵyl Ddramâu. Mae elw'r ŵyl yn parhau i fynd yn gyfan gwbl i goffrau'r Neuadd Bentref.

'Cynhaeaf Drud' 1961-2 Chwith i'r dde – Einion Edwards, Emlyn Evans, Dorothy Miarczynska, Cissie Jones, Gwenfair D Jones, Gerallt Jones, Elin Jones ac Ifor Owen

Roedd i Ifor Owen a'r Parch. Gerallt Jones le blaenllaw iawn yn yr ŵyl gyntaf hon, ac nid oedd dim yn anghyffredin yn ei sefydlu, gan gofio'r traddodiad cryf oedd yn bodoli eisoes. Dim yn anghyffredin hyd nes i ni sylweddoli wrth edrych yn ôl trwy'r rhaglenni bod i'r ŵyl ddramâu hon naw o gwmnïau. Cafodd yr ŵyl ei chynnal dros gyfnod o chwe noswaith, ac fe fu'r neuadd yn orlawn trwy gydol yr ŵyl. Roedd sawl cynhyrchydd ynghlwm a'r ŵyl gyntaf hon, Y Parch. Gerallt Jones, a Mrs Cissie Jones ei wraig, Catherine Williams, Rhyd Sarn, Mr H.R. Jones ac Ifor a Winnie Owen wrth gwrs.

Wrth sgwrsio gyda' r rhai oedd yn blant yng nghyfnod y chwedegau, bydd yr ymateb i holi ynglŷn â'r ŵyl ddramâu yn fyrlymus. Y dyheu, a'r hwyl, y dyrchafiad i fod yn ddigon hen i werthu rhaglenni a'r drefn eistedd bendant, gyda'r plant mân yn y blaen a'r llanciau ar y ffenestri. Ac wrth sgwrsio ymhellach bydd y geiriau 'Pawen y Mwnci' yn siŵr o gael eu crybwyll. A'r chwerthin wrth hel atgofion am y dychryn a'r ofn a ddisgynnai dros y gynulleidfa wrth i'r ddrama honno gyrraedd ei diweddglo dychrynllyd. Nid oes yr un 'thriller' fodern wedi creu'r fath ddychryn yng nghalonnau plant Llanuwchllyn, na'r un argraff wedyn!

Cwmni Drama'r Gwyndy yn perfformio 'Pan ddêl Mai' ac Ifor Owen yn cynhyrchu!

Ers ei dechrau felly yn 1960 bu Ifor Owen a'i wraig Winnie yn gynhyrchwyr di-dor gyda'r ŵyl am dros ddeugain mlynedd. Yn ogystal byddai Ifor Owen yn hyfforddi cwmnïau'r aelwyd yn y chwedegau, ac yn cystadlu yn gyson yn Eisteddfodau Cenedlaethol yr Urdd, gan ddod i'r brig yn Llanrwst yn 1968.

Wedi i'r cwmni fynd dros oed cystadlu gyda'r Urdd, fe ddatblygodd y cwmni a dwyn yr enw Cwmni'r Gwyndy, gan berfformio yn flynyddol yn yr ŵyl ddramâu. Bu nifer o aelodau yn y cwmni a llawer o fynd a dod dros y blynyddoedd, ond yr un oedd yr olygfa ar lawr y neuadd bob amser, gyda'r ddau gynhyrchydd yn eistedd yno'n gwylio'r chwarae. Ifor a Winnie a'u llygaid craff yn nodi symudiadau ac yn cynghori, ac ambell waith byddai Ifor Owen yn codi'n wyllt ac yn camu'n chwim i'r llwyfan. Yna byddai rhaid gwylio wrth iddo ddangos rhyw symudiad. Yn amlach na pheidio dod i'r llwyfan i symud rhyw gelficyn y byddai, rhywbeth a fyddai'n amharu, neu'n taro'n chwithig ar ei lygaid craff, oherwydd dyn 'yr olygfa' oedd Ifor Owen. Roedd y 'gweladwy' yn bwysig tu hwnt iddo, roedd yn rhaid cael y set yn iawn, y gwisgoedd yn addas a'r colur wedi ei baentio'n ofalus. Roedd Ifor Owen yn 'gweld' y tu hwnt i'r gweddill ohonom, ac yn rhagweld yr argraff a roddai'r gweladwy ar y gynulleidfa.

Wrth sgwrsio un diwrnod gyda chyfeilles agos i Ifor a Winnie, ac un o gynhyrchwyr yr ardal sef Dorothy Miarczynska, cefais gadarnhad pellach o hyn. Roedden nhw'n mynd am dro yn y car un diwrnod pan ddywedodd un o'r gwragedd mor braf oedd gweld y gwanwyn yn ei ôl, a'r dail eto ar y coed. Ymateb Ifor Owen oedd, ei fod yn hoff iawn o weld y canghennau yn y gaeaf, heb eu gwisg o ddail - gan ei fod yn gallu gweld y goeden yn iawn!

Pan fyddai'r amser yn nesu at lwyfannu'r ddrama, dyna pryd y byddai'r chwilio yn yr atig yn digwydd, a'r gwisgoedd a'r 'props' yn dod i'r golwg unwaith eto. Mae'n rhaid bod atig y Gwyndy yn lle rhyfeddol iawn , yn ogof Aladin gyfrin, o gofio'r holl wisgoedd ac ati a ddaeth oddi yno ar hyd y blynyddoedd.

Cofiai Dorothy Miarczynska, iddynt fynd a dramâu i'w perfformio i Groesoswallt yn gyson, ac â'i Ifor Owen gyda hwy bob amser, a hynny ar gyfer y coluro, a gofalu bod y set yn ei lle ac yn addas.

Byddai ymarferion cyntaf y cwmni'n digwydd yn ystafell fyw gynnes y Gwyndy, y darlleniadau cyntaf a'r esbonio, cyn symud ymlaen wedyn tua'r neuadd bentref i gael dechrau ei 'symud hi'. Yno byddai tynnu coes a hel atgofion am ddramâu a fu a'r troeon trwstan. Tua'r diwedd byddai Ifor Owen yn mwynhau'r cyfnodau hyn o hel atgofion gymaint fel mai ar adegau dyna fyddai canran helaeth o'n 'practis drama'. "Wyt ti'n cofio hwn a hwn a hon a hon yn methu ffendio'r drws allan?" neu amryfal storiâu am actorion yn cyfarch Mrs Owen fel y cofweinydd neu'r 'promptar', gyda'r geiriau - "O diolch i chi Mrs Owen!" ar ganol brawddeg aeth yn anghofiedig.

Pan ddeuai'r alwad tua chanol Medi bod drama wedi ei dewis - byddai'n gychwyn ar gyfnod prysur ond hapus. Ac er bod llawer o'r hen gwmni wedi ein gadael erbyn hyn, mae'r cof amdanynt yn rhan o'r chwarae a'r dweud, ac ambell i frawddeg o'u heiddo yn parhau i ddod i'n clyw flwyddyn ar ôl blwyddyn. Byddwn yn dathlu hanner can mlynedd ers dechrau'r ŵyl ddramâu yn 2010, mae cwmni'r Gwyndy yn parhau i lwyfannu dramâu bob blwyddyn ers y dyddiau cynnar rheiny. Ac mae ambell i frawddeg o eiddo Ifor Owen yn parhau i gael ei hadrodd cyn i'r llenni gael eu hagor ar y noson agoriadol o hyd - a hynny gan Dyfir erbyn hyn - sy'n dilyn yn ôl troed ei rhieni, yn cynhyrchu yn cofweini, ac yn gwneud yn sicr bod yr ŵyl ddramâu yn parhau. Nid oes yn rhaid inni bryderu gormod chwaith am y parhad hwnnw, er nad oedd naw cwmni yn perfformio yng ngŵyl ddramâu Llanuwchllyn eleni fel yn 1960, yr oedd eto bedwar cwmni ar ôl. Ond yn bwysicach roedd tri o'r cwmnïau rheiny yn gwmnïau o bobol ifanc, brwdfrydig a byrlymus, a bydd traddodiad y ddrama yn Llanuwchllyn yn ddiogel yn eu dwylo hwy.

Haf Llewelyn

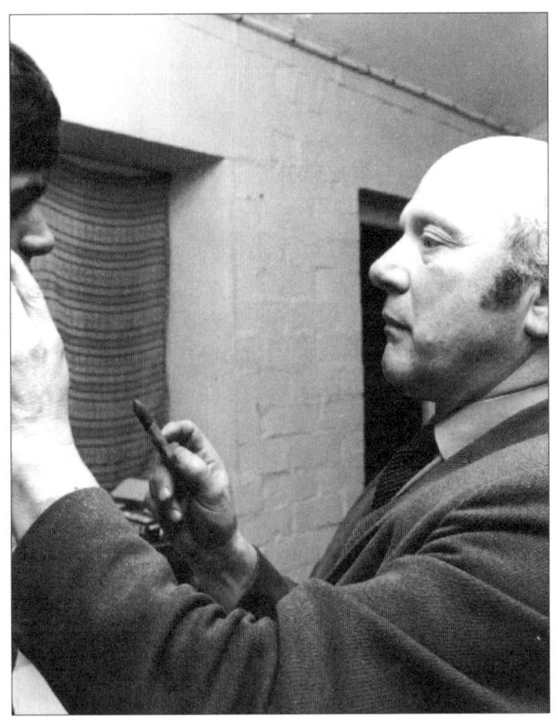

Coluro yn y Gegin yn y Neuadd Bentref adeg yr Ŵyl Ddrama

Gwobrwyo Ifor a Winnie Owen am eu gwaith ar Bwyllgor Drama Llanuwchllyn yn ystod Gŵyl Ddrama 1985 a Chwmni'r Gwyndy yn y cefndir

Dramâu'r Urdd

YSGRIF O WAITH IFOR OWEN

Fy nghysylltiad cyntaf i a Dramâu'r Urdd oedd yn Eisteddfod yr Urdd yng Nghorwen yn 1929. Hon oedd Eisteddfod gyntaf yr Urdd. Yr oeddwn yn cystadlu yno yn aelod o Gwmni Drama Adran y Sarnau ger y Bala.

Yr oedd y diweddar Llwyd o'r Bryn wedi sefydlu Adran yn y Sarnau yn y dauddegau, ac yr oedd yn frwdfrydig iawn gyda gwaith ac amcan yr Urdd. Cynorthwyid ef gan y diweddar H.W. Jones ein hysgolfeistr. Gwnaeth Llwyd o'r Bryn gymwynas fawr iawn â ni blant ofnus cefn gwlad. Mynnodd ein bod yn gweithredu fel arweinyddion, beirniaid, a phwyllgorwyr yng nghyfarfodydd yr Adran.

Pan ddaeth si fod yr Urdd am gynnal Eisteddfod yng Nghorwen, mynnodd Llwyd o'r Bryn ein bod yn cystadlu ym mhob maes posibl, a chan fod ganddo ef ddiddordeb yn y ddrama, mynnodd ein bod yn dysgu drama ar gyfer cystadlu yng Nghorwen.

Dewisodd Llwyd o'r Bryn ddrama inni, sef 'Marchogion Arthur'. Nid wyf yn cofio enw'r awdur, ac ni welais y ddrama byth wedyn. Bu ymarfer dyfal a doniol. Thema'r ddrama oedd fod nifer o blant ar eu ffordd adre o'r ysgol. Y diwrnod hwnnw bu'r athro'n sôn wrthynt am y Brenin Arthur a'i wrhydri. Mae'r hanes yn fyw yn eu cof, ac ar y ffordd adre penderfynant chwarae rhan o'r hanes. Defnyddiant hen sosbenni yn helmedau, ffyn o'r gwrych yn gleddyfau etc. Cofiaf fod un o'r cwmni yn fyrrach na'r lleill, a'i fod i geisio cusan gan ferch oedd gryn dipyn yn dalach nag ef. Methai a chyrraedd y nod. "Hidia befo", ebe'r Llwyd, "Dos i chwilio am garreg i'w rhoi dan dy draed." Dyna a fu, a chafwyd clec iawn o gusan! Bu'r actor ifanc hwnnw yn aelod o Gwmni Drama'r Sarnau hyd ei farwolaeth ddisymwth ychydig flynyddoedd yn ôl. Ef, gyda llaw, oedd awdur un o gynhyrchion barddonol aruchel yr Adran,

> Ymhell y bo'r plwm pwdin,
> Mae mol i'n brifo'n goblyn,
> Does arnaf eisiau ei weled mwy –
> Gwell gennyf fwyta pwdin wy!

Eisteddfod un diwrnod oedd Eisteddfod gyntaf yr Urdd, a chynhaliwyd hi ym Mhafiliwn Corwen ar Fehefin 1af 1929. 'Roedd cystadleuaeth y ddrama y nos Wener cynt, Mai 31ain. Daeth Cwmni Drama'r Sarnau yn ddigon ffodus i'w dewis i berfformio yn y prawf terfynol. Gyda ni dewiswyd cwmni Adran Brynsiencyn, a chwmni Adran Betws Gwerful Goch, y naill yn actio 'Eli', a'r llall yn actio 'John Homer'.

I ni blant y wlad uchel, 'roedd Corwen yn bendraw'r byd, er nad oedd ond cwta saith milltir rhwng y ddau le. Wedi arfer ag Ysgol fach y Sarnau, 'roedd gweld Pafiliwn mawr Corwen yn ddigon i greu arswyd ynom!

Roedd llwyfan Pafiliwn Corwen yn llawer ehangach na ystafell fawr Ysgol y Sarnau! Credaf inni actio yn dwr bychan yn un gornel o'r llwyfan anferth, ac na chlywodd fawr neb o'r gynulleidfa fawr ein sibrwd ofnus. Yr unig un hyglyw oedd Arthur Siop, 'roedd ef wedi arfer adrodd! Daeth Arthur Siop yn ddiweddarach yn Y Parch. Arthur Thomas, Llanfaircaereinion. Credaf i'r 'gusan' o ben y garreg brofi'n effeithiol, a derbyn cymeradwyaeth frwd y gynulleidfa! Fy nhad, y diweddar J.F. Owen, oedd ein colurwr.

Ychydig a gofiaf am y perfformiad. Trydydd a gawsom, gyda Chwmni Brynsiencyn yn fuddugol, a Chwmni Betws Gwerful Goch yn ail. Cofiaf fwy am y cregyn malwod anferth a welsom ar y wal o'r tu ôl i'r Pafiliwn. Rhyfeddem at ei maintioli llwyd o'u cymharu â chregyn llai a mwy lliwgar y Sarnau! Cawsom dynnu ein llun hefyd. Medrwn ymffrostio mai y ni oedd y cystadleuwyr cyntaf yn Eisteddfod gyntaf yr Urdd yn 1929.

Er i mi barhau i gystadlu mewn meysydd eraill, wedi Eisteddfod Corwen ni fu gennyf gysylltiad pellach a dramâu'r Urdd nes i mi ddod yn brifathro Ysgol O.M.Edwards, Llanuwchllyn. Yno, 'roedd nifer o bobl ifanc yn awyddus i gystadlu, a ffurfiwyd cwmni drama dan nawdd yr Aelwyd. Buom am flynyddoedd lawer yn ffodus i gyrraedd y prawf terfynol mewn Eisteddfod ar ôl Eisteddfod. Deuem yn ail neu'n drydydd, ond yn Eisteddfod Llanrwst 1968, cawsom y Cwpan.

Bu'r ymarfer yn hwyliog bob amser, ac yn y profion terfynol bu rhai troeon trwstan. Cofiaf fod cwmni'r Adran yn perfformio "Botymau Pres" Eic Davies yn Neuadd Cricieth. Eisteddfod Porthmadog oedd yr achlysur (1964). Daeth yn amser i Bethan Miarczynska adael y llwyfan, a chafodd fod y drws wedi cloi! Diolch fod gan Bethan ddigon o hunan feddiant i wthio ei ffordd allan drwy'r set! Yn Eisteddfod yr Urdd Caerfyrddin 1967, bu'n rhaid i gwmni'r Aelwyd actio 'Adar o'r Unlliw', J.O. Francis, mewn golau llachar gan na wnâi 'dimmers' y llwyfan weithio! Fe ŵyr y cyfarwydd mai yn y nos y digwydd y ddrama honno! Eto yn Eisteddfod Aberystwyth 1969, yr oedd Cwmni'r Aelwyd yn actio drama ddwyreiniol. 'Roedd y llwyfan wedi ei drefnu fel lluesty yng Ngwlad Canan. Pan agorwyd y llenni, beth a welem, er ein braw ar 'ffedog' y llwyfan ond cadair esmwyth fawr fodern! Ni ddaeth i'n meddwl edrych a oedd y 'ffedog' yn glir cyn agor y llenni.

Fel y treiglai'r blynyddoedd aeth aelodau'r cwmni yn rhy hen i gystadlu, ond y mae'n dda gennyf ddweud na fu iddynt beidio actio. Y mae'r rhan fwyaf ohonynt yn parhau yn aelodau o Gwmni Drama'r Gwyndy, ac yn actio bob blwyddyn yng Ngŵyl Ddrama Llanuwchllyn. I gynhyrchydd y mae un rhinwedd mawr yn perthyn iddynt, nid ydynt byth yn colli ymarfer. Cawn lawer sgwrs atgofus am yr hen amser ar derfyn ymarfer.

Cast drama 'Marchogion Arthur', Adran y Sarnau 1929
Yn y cefn: Llwyd o'r Bryn, y Cynhyrchydd
Rhes gefn, chwith i'r dde:
J.F. Owen, (Pentre); Tudor, Tyddyn Tudur; Ifor Owen (Pentre); Arthur Siop; Glyn Erw Feurig; Preis, Rhydelise; Tom, Cwmcowen; Goronwy, Tu Hwnt i'r Fflat; Robert Ellis, Yr Hendre
Y Rhes Flaen: Gwyndaf, Rhyd Elise; Kate Ty'n Coed; Elinor, Ty Cyntaf; Betty, Caerau Uchaf; Beryl, Pentre; Crei, Ty'n Ffridd; Edward, Pen yr Allt

YSTÂD GLANLLYN

Cyfraniad mawr er lles Llanuwchllyn oedd rhan Ifor Owen ym mhryniant Stâd Glanllyn i'r tenantiaid.

Syr Watkin Williams Wynne oedd perchennog mwyafrif llethol ffermydd Llanuwchllyn a thai y pentref, ynghyd â Llangywer a rhan o Gwm Prysor. Bu farw Syr Watkin yn 1945 a chymerodd y Llywodraeth y Stâd drosodd gan nad oedd digon o arian i dalu y 'Dreth Marwolaeth'. Rhoddwyd y gwaith o weinyddu'r ystâd o dri deg naw o filoedd o aceri yn cynnwys cant tri deg ac wyth o ddaliadau amaethyddol a nifer o ben-tai i Is-Gomisiwn Tir Cymru a gweithiodd pethau yn eitha hwylus gan fod y Pwyllgor Tenantiaid wedi ei sefydlu i fod yn ddolen gyswllt rhwng y tenantiaid a'r Is-Gomisiwn.

Ifor Owen oedd ysgrifennydd y pwyllgor tenantiaid o 1956. Yna yn 1961, penderfynodd Christopher Soames, y Gweinidog Amaeth ar y pryd, fod y Stâd i gael ei gwerthu. Amser pryderus iawn oedd hwn i drigolion Llanuwchllyn, fel y gwn o brofiad. Yr oeddwn newydd gael fy ngwneud yn denant i olynu fy nhad ac wedi gorfod dyblu'r rhent i gael aros ar y fferm. Cofiaf ddod adre o'm mis mêl a'r amlen gyntaf i mi ei hagor oedd rhybudd rhent hanner blwyddyn.

Ar nos Lun 13 Chwefror 1961 mewn cyfarfod cyhoeddus yn Neuadd Bentref Llanuwchllyn ffurfiwyd consortiwm o denantiaid dan yr enw 'Cymdeithas Glan-llyn Cyf' i geisio dod i gytundeb â'r Llywodraeth i brynu'r Stâd yn gyfan, ac yna ei hail-werthu i'r tenantiaid.

Ifor Owen fu'n ysgrifennydd i'r consortiwm hwnnw, ac nid gwaith hawdd o bell ffordd mae'n siŵr oedd ceisio gohebu â Saeson nad oeddent yn hidio botwm corn beth fyddai tynged cefn gwlad Llanuwchllyn na'r ffordd Gymreig o fyw. Credaf hyd heddiw nad yw trigolion Llanuwchllyn wedi gwerthfawrogi'r gwaith aruthrol a wnaeth y bobl hyn drosom er sicrhau pryniant y Stâd i ni fel tenantiaid am bris teg. Mae ein dyled yn fawr iddynt. Ardal hollol Gymraeg oedd hi ac fe gawsom sicrwydd o do uwch ein pennau, a chyfle i gadw bro Llanuwchllyn yn gadarnle'r Gymraeg a'r diwylliant Cymreig, ac mae'n peri siom i mi nad yw'r egwyddorion hynny wedi eu parchu ar ambell achlysur. Mae un peth yn sicr, pe bai'r Stâd wedi mynd yn eiddo i estron byddai diwylliant Llanuwchllyn hefyd wedi newid yn arw.

Felly ar ran trigolion Llanuwchllyn, fe hoffwn ddatgan ein gwerthfawrogiad a'n dyled i'r pwyllgor dethol hwn a weithiodd mor galed er sicrhau ein dyfodol a dyfodol ein plant a phlant ein plant.

Mewn pwyllgor ar Fawrth 15fed 1976 penderfynwyd cyflwyno 'anerchiad' i Tom Jones am ei ran dros y pwyllgor a'r tenantiaid ac Ifor Owen a gafodd y gwaith o'i baratoi. Mae'n werth dyfynnu rhan olaf yr anerchiad gan y gellid ehangu'r geiriau i gynnwys y pwyllgor cyfan ac maent yn costrelu bwriadau Ifor Owen wrth wneud y gwaith:

'Diolchwn i chwi, ar ran y tenantiaid a brynodd eu daliadau, a diolchwn dros ein plant, a chenedlaethau'r dyfodol, a fydd yn mwynhau ffrwyth eich llafur chwi ar eu rhan.

Hyderwn y byddwn ni a'n disgynyddion yn deilwng o'r cyfrifoldeb mawr a roddwyd arnom drwy ddod yn berchenogion rhan helaeth a hanesyddol o'n gwlad.

Sylweddolwn mai drwy iawn ddefnyddio'r cyfrifoldeb hwn y medrwn ddangos ein diolch gorau i chwi.'

John Jones

AELWYD LLANUWCHLLYN

Rwy'n cofio'r noson yn dda, ac ieuenctid y fro wedi ymgynnull yn Ysgol y Pandy i drafod y posibilrwydd o ail-gychwyn Clwb Ffermwyr Ifanc neu Aelwyd yr Urdd yn Llanuwchllyn. Dechrau'r 50au (y ganrif ddiwetha erbyn hyn) oedd hi. Rhai ohonom hogiau'r wlad eisiau Clwb Ffermwyr, ond gan fod mwy o bobl ifanc o'r pentre yn bresennol, aeth y bleidlais yn ein herbyn a phenderfynwyd ail gynnau fflam Aelwyd yr Urdd yn yr ardal.

Yr oedd Ifor Owen yn bresennol, ac efallai i hynny gael rhyw ddylanwad ar y bleidlais. Dyma gychwyn fy mherthynas i â gŵr a fu yn gymaint o gefn ac yn swcwr i ni fel pobl ifanc y cyfnod. Bu yno yn ein hannog i gystadlu mewn cystadlaethau siarad cyhoeddus, sgetsys a dramâu a rhoi hyder i ni sefyll ar lwyfan, neu godi i siarad i ddadlau ein hachos mewn pwyllgor neu gyfarfod cyhoeddus. Cawsom gyfle i fod yn arweinwyr yn ein cylchoedd bychain, ac yntau yno bob amser i gynghori ac i fod yn sylfaen i'r holl weithgareddau. Parhaodd ei frwdfrydedd dros y blynyddoedd ac mae dyled llawer o ieuenctid Llanuwchllyn yn fawr iddo.

John Jones

Aelwyd Llanuwchllynyn fuddugol yn Eisteddfod Rhydaman 1957 – rhes ôl o'r chwith i'r dde - Ifora Hughes, Eleanor Bennet Owen, Llywela Davies, Olwen Pierce, Cefn-gwyn, Gwen Guest, Olwen Davies
Rhes flaen -Ifor Owen, Olwen Jones, Menna Bennet Owen ac Emrys Bennet Owen

Taith i'r Almaen

Arferai'r Urdd drefnu teithiau cyfnewid a mordeithiau er mwyn meithrin y berthynas â chyd-ddyn. Roedd yr agwedd heddychol a dyngarol hon yn apelio'n fawr at Ifor Owen, wrth gwrs, ac yn niwedd y pumdegau daeth cyfle i aelodau Aelwyd Llanuwchllyn fanteisio ar y trefniant.

Daeth criw o Almaenwyr o ardal Baden Baden draw i Lanuwchllyn i aros yng Ngorffennaf 1959, roeddent yn aros ar aelwydydd gwahanol yn yr ardal, ac yna, ganol Awst, aeth nifer o aelodau'r Aelwyd ar y daith yn ôl i Dde'r Almaen.

Criw o bump ar hugain gychwynnodd ar y daith: Ifor Owen, Emrys Bennet Owen a Gwyn Williams yr Urdd (BBC wedyn) yn arwain a Beti Bro Aran; Beti Mair Penbryn Coch; Beti Glanaber; Beti Cambrian; Phyllis Brynllinos; Glenys a Llinos Alltygwine; Olwen Cefn-gwyn; Elinor Gwyndy; Ann a Llywela'r Post; Ifora Brynllech; Gwawr Tyddynronnen; Gwen Pandy Mawr; Mai Ronwydd; Joan Price o'r Bermo; Howel Tanrhiw; Hefin Maesgwyn; John Cambrian; Tecwyn Eithinfynydd; Jac Nantybarcud ac Archie Tynant.

Ar fws digon bregus yr olwg y gwnaed y daith yn ôl y sôn a dwy delyn yng nghanol y paciau. Ond fe gyrhaeddwyd pen y daith yn ddiogel ac aeth pawb i gartrefi'r rhai a fu'n aros hefo nhw fis yng nghynt. Roedd criw o Iwerddon yno ar yr un pryd hefyd a byddent yn cynnal nosweithiau, criw Iwerddon yn dawnsio eu dawnsfeydd traddodiadol a chriw Llanuwchllyn mewn gwisg draddodiadol yn canu.

Fe ddigwyddodd hyn i gyd bedair blynedd ar ddeg ar ôl diwedd yr Ail Ryfel Byd ac roedd dod â'r bobl ifanc at ei gilydd yn un cam bach tuag at gau'r clwyfau dyfnion a fu. Yn hollol nodweddiadol ohono fe gadwodd Ifor Owen gysylltiad â rhai o'r Almaenwyr ar hyd ei oes.

Ann Ll Roberts

Y criw ar y llong

Pawb yn eu gwisgoedd Cymreig

Y bws enwog a chriw o'r Almaenwyr a Gwawr a Gwen yn eu plith

Atgofion Cymydog

Wrth fudo i ardal newydd, mae cael cymydog da yn help mawr i ymgartrefu. Tipyn o fantais i mi felly oedd symud i fyw drws nesaf i Ifor a Winnie Owen yn Llanuwchllyn.

Buan iawn y deuthum i ddeall bod Ifor yn hanu o'r un ardal â theulu fy mam, sef ardal y Sarnau. Pan ddywedais wrth mam pwy oedd fy nghymydog newydd, ei hymateb oedd "dyn ffeind". Mae'n debyg i Ifor Owen fod yn fyfyriwr ar ymarfer dysgu yn ysgol y Sarnau yn y 30au cynnar, lle llwyddodd i roi terfyn ar waedlyn trwyn fy mam, trwy osod goriad mawr yr ysgol ar ei gwegil.

O gael Ifor Owen yn gymydog, doedd dim angen y gwyddoniadur yn ein tŷ ni. Roeddwn yn dychwelyd o bob sgwrs dros glawdd yr ardd gyda pherlau o wybodaeth yn feunyddiol. Roedd dyfnder ac ehangder ei wybodaeth yn anhygoel, a'i gof yn ddi-ben-draw.

Roedd gennym ni un peth mawr yn gyffredin, sef y ddrama. Roedd atig y Gwyndy fel ogof Ali Baba, yn llawn o wisgoedd a chelfi a Mrs Owen yn gwybod yn union lle'r oedd pob dim. Y drefn fel arfer oedd, cnoc ar y drws "Da chi ddim yn digwydd bod â pheth a peth Mrs Owen?" Siŵr o fod" oedd ei hateb parod, gan ordro Ifor i'r atig a gweiddi 'comands' o'r gegin, yntau yn dod i lawr fel arfer yn wyllt ac yn waglaw, dim ond i gael ei droi yn ôl ar ei sawdl i ail chwilio, ac yn fwy aml na pheidio, deuai i lawr mewn hir a hwyr gyda'r het blismon neu'r trowsus pen-glin angenrheidiol.

Fel mae'n hysbys, yn ogystal â'i holl ddoniau eraill, roedd Ifor Owen yn fardd medrus. Yng nghanol y 70au, cyn bod hyd yn oed sôn am y Talwrn ar y radio, roedd Cynghrair Ymryson y Beirdd gan **Pethe Penllyn,** y papur bro lleol. Roedd tîm o 'gewri' yn cynrychioli Llanuwchllyn, gan gynnwys Ifor Owen wrth gwrs.

Yn ystod un o'r sgyrsiau trosglawdd ryw fore, holodd Ifor a oeddwn i'n gwneud unrhyw ddefnydd o'r gwersi cynganeddu yr oeddwn wedi eu cael yn nosbarthiadau Gerallt Lloyd Owen yn y Sarnau ers talwm. Cyn i mi ateb, nac ystyried gwrthod, roedd wedi fy recriwtio fel prentis i dîm Ymryson y Llan.

Yn nerfus a phetrusgar iawn yr es y noson gyntaf honno i Neuadd y Parc. Fy Ngamaliel oedd Ifan Roberts, Henryd. Yr ordors gan Ifor oedd i mi ddangos pob dim i Ifan cyn mentro at y Meuryn, a dyna wnes i gyda'm hymgais gyntaf i greu llinell "Beddargraff Garddwr". Cymerodd Ifan Roberts un cip arni, ac meddai'n reit swta, "Ie, da iawn, trïa eto". Ac fel arfer daeth Ifor Owen i'r fei o rywle â'm helpu gyda'i hiwmor arferol i greu'r llinell hon:-

"Mae hiraeth yn y marrows"

Alwyn E Jones

TAID

"Mae Taid yn brysur." Dyna a glywn yn aml, pan oeddwn i'n blentyn yn ystod yr 80au, wrth ymweld â Nain a Taid yn y Gwyndy. Gallech fentro ei fod, un ai yn yr "atic" yn gweithio ar y rhifyn nesaf o **Hwyl**, neu yn y "cwt pen draw" yn fframio llun, neu yn adeiladu set drama. Yn wir credwn y gallai Taid droi ei law at unrhyw beth, ac wrth dyfu fyny sylwais nad oeddwn ymhell o'm lle.

Er iddo ymddeol fel prifathro dair blynedd cyn i mi gychwyn yn Ysgol O. M. Edwards, roedd ôl ei waith a'i ddawn i'w weld o hyd ar furiau'r ysgol, ac yn wir daliai i ddychwelyd yno i'n coluro ar gyfer dramâu'r Nadolig.

Y cof sydd gennyf o'r blynyddoedd cynnar, yw mai gan Nain y cawsom ni'r wyrion y sylw mwyaf ac mai yn ddiweddarach, wedi i'w ddyletswyddau leihau, y deuthum i adnabod Taid yn iawn. Er hynny, o ganol prysurdeb y Gwyndy, fe ddeuai'r dyn hwyliog a direidus i'r golwg, i redeg ar ein holau gan weiddi "Watia di dy glocs!" Deuai'r direidi hwyliog hwn i'r amlwg mewn cardiau pen-blwydd a greai, yn ogystal â rhai penillion o'r comic Hwyl a oedd mor ganolog i bopeth.

Cerdd gan Ifor Owen am Owain ei ŵyr a ymddangosodd yn 'Hwyl'

Ond mewn gwirionedd, doedd dim byd ymhellach o'r gwir, oherwydd roedd yr hyn a ddysgodd i mi a'r cyngor a gefais ganddo, wrth fod yn ei gwmni am dros ddeng mlynedd ar hugain, yn well ac yn fwy difyr nac unrhyw encylopedia! Yn fwy na dim dysgodd i mi am hanes ardal Llanuwchllyn a Phenllyn, ardaloedd a olygai gymaint iddo, ac am ei falchder o ddychwelyd i'w wreiddiau. Mwynhad oedd gwrando ar ei anturiaethau yng Nghefnddwysarn, Caer, Croesor a Gwyddelwern a'i ddiddordeb mewn beiciau modur a dringo creigiau yn ystod ei ddyddiau coleg.

Roeddwn wrth fy modd yng nghwmni Taid, o'r dyddiau cynnar hynny pan ddysgodd i mi sut i wneud cwch o frwyn ar ffordd Dolfach a sut i wneud chwiban o bren ynn ar ffordd Garth. Dysgodd lawer i mi am fyd natur, tra byddwn ar deithiau picnic gydag ef a Nain ym Mlaen Lliw a Chwm y Glyn. Yn wir, roedd ei ddawn o ddarganfod nythod adar yn anhygoel. Yn ddiweddarach cefais y fraint o'i gynorthwyo i osod Pabell Hwyl yn Eisteddfod olaf y comic yn Llanrwst yn 1989; y babell honno a oedd mor ganolog i'n Heisteddfodau ni fel plant. Dydw i ddim yn credu iddo beidio siarad am un funud o'r siwrnai yno, oherwydd bod ganddo hanes i'w ddweud am bob dim a welai ar hyd y daith. Pleser arall oedd ei gynorthwyo a dysgu ganddo tra byddai'n gwneud setiau drama yn y Gwyndy.

Dathlu pen-blwydd 'Hwyl' yn ddeugain yn Eisteddfod Genedlaethol Llanrwst hefo plant Llanuwchllyn ym 1989

Roedd y teulu'n bwysig iawn iddo ac ni anghofiaf fyth ei ofal o Nain ym mlynyddoedd ei gwaeledd, ac yntau ymhell yn ei 70au. Roedd ei gariad tuag ati yn amlwg, a'i ofal amdani yn ffordd o ddiolch iddi, a chydnabod yr holl a wnaeth hithau i'w gynorthwyo yntau dros y blynyddoedd. Roedd colli Nain yn golled fawr iddo, ond braf oedd ei weld yn cael blynyddoedd lawer o iechyd wedi hynny. Yn wir bu iddo brynu beic newydd yn 77 oed. Aeth o amgylch y llyn un waith ac o amgylch Pennantlliw niferoedd o weithiau ac yntau yn ei 80au. Ni wyddai beth oedd oedran a daliai i gario "pryd ar glud" i henoed iau nag ef ei hun tan yn ddiweddar iawn. Braf hefyd oedd iddo gael byw a chael cyfle i orymdeithio ar hyd stryd Llanuwchllyn gyda chriw ohonom, fel hogyn ifanc, ar noson buddugoliaeth refferendwm 1997.

Cerdyn Nadolig nodweddiadol o'r rhai a anfonai i Winne, a Bryn yn diflannu o'r golwg

Ymfalchïai Taid yn llwyddiant ei blant a'i wyrion, boed yn llwyddiant addysgol, celfyddydol, gyrfaol neu yn y byd chwaraeon. Bu yn gefn i ni i gyd a braf oedd ei gefnogi yntau a'i weld yn cael ei gadeirio yn Eisteddfod Gadeiriol Llanuwchllyn.

Roeddwn yn bresennol hefyd pan gyflwynwyd Tlws Mary Vaughan Jones iddo, a phan dderbyniodd ei M.A. ac mae'n debyg fy mod yno pan gafodd Dlws T.H.Parry Williams yn 1977, er mai swnllyd oeddwn medde nhw!

Symudodd i fyw i Bronant, o fewn tri drws i mi, dros y tair blynedd olaf, a braf oedd ymweld ag ef bron bob nos, i roi'r byd yn ei le, ac yntau'n eistedd ynghanol ei lyfrau gan fy nghyfarch yn hwyliog gyda "Helo! Elo! Elo!" a oedd mor gyfarwydd i ni a "Cymer ofal wa" bob tro wrth i mi adael. Hoffter arall ganddo os oedd amser ar ei ddwylo ac yn arbennig yn y cyfnod diweddar oedd gwylio cartwns ar y teledu! Yn Bronant cafodd fwynhau cwmni gor-wyrion ac wyresau a braf oedd ei weld yn darllen stori Yr Hen Wraig Bach a'i Mochyn o'i waith ei hun iddynt.

Mae rhestr ei ddoniau a'i allu yn faith, a heb os, bydd cyfeiriad atynt yn y gyfrol hon, a diolchwn ninnau, ei wyrion a'i wyresau am y fraint o gael galw'r gŵr annwyl ac addfwyn hwn yn TAID, ac un da oedd o hefyd.

Owain Sion Gwent

Ifor a Winnie Owen, y plant a'r plant yng nghyfraith a'r wyrion - Ifor, Gareth, Winnie, Nonna, Eleri, Meilir, Dyfir, Dyfrig, Llew, Elin, Haf, Prys, Rhys, Owain Sion, Bryn, Mari a Iolo

CYFROLAU AC ERTHYGLAU

Cyfrolau

Owen, Ivor **Yr Hen Wraig Bach a'i Mochyn** Aberystwyth: Gwasg Aberystwyth [dd]

Owen, Ifor (gol) **Llyfr Mawr Hwyl** / golygydd : Ivor Owen. Evans a'i Feibion, 1952.

Owen, Ifor (gol) **Ail Lyfr Mawr Hwyl** / golygydd: Ivor Owen. Evans a'i Feibion, 1952.

Owen, Ifor **Llyfr Peintio ABC** / gan Ivor Owen. Aberystwyth : Gwasg Aberystwyth, [1955]

Owen, Ifor (gol) **Llyfr Mawr Hwyl** Bala : Llyfrau'r Faner, [1972]

Owen, Ifor **Penllyn** Gwasg Carreg Gwalch, 1997

Erthyglau

'Bob Owen' yn **Meirionnydd** Haf 1963

'Annerch y Llys' yn **Barn** Rhif 118 Awst 1972

Gwŷr Meirionnydd yn **Atlas Meirionnydd** gol Geraint Bowen Y Bala: Gwasg y Sir, 1974

Pigion Hanes yn **Pethe Penllyn** cyfres yn rhedeg o Awst 1975 hyd Gorffennaf 1977

Cyflwyniad i gyfrol **Llên y Llannau** Eisteddfodau 1977

'Darluniau mewn llyfrau plant' yn **Dewiniaid Difyr: Llenorion Plant Cymru hyd tua 1950** Mairwen a Gwynn Jones Llandysul : Gomer, 1983.

'E.E' yn **Llwybrau'r cof : cyfrol o atgofion am Lady Edwards** Urdd Gobaith Cymru: Aberystwyth 1984

'Y D.J. arall' **Y Faner** (22.8.86), td. 14-15

Nodyn beirniad ar felin Llanuwchllyn yn **Llên y Llannau** Eisteddfodau 1987

Pennod ar Ystâd Glanllyn yn Roberts, Guto (gol) **Tom Jones Llanuwchllyn : teyrngedau.** [Llanuwchllyn] : Pwyllgor Cofio Tom Jones Llanuwchllyn, 1991.

Cartrefi Penllyn yn **Pethe Penllyn** cyfres yn rhedeg o Hydref 1992 i Fai 1995 [Cynlas; Ciltalgarth; Pentre Tai-yn-y Cwm; Rhywedog; Caer Gai; Y Fron Heulog, Llandderfel; Garth Lwyd, Llandderfel; Ty'n Bryn, Cefnddwysarn]

'Atgofion am Ystad Glanllyn' yn **Llên y Llannau** Eisteddfodau 1994 ac 1995

'Cernunnos yn Nyffryn Dyfrdwy'. **Llafar Gwlad** Rhif 47 (1995), td. 6-7

'Bala aeth a Bala aiff a Llanfor aiff yn llyn' / Ifor Owen. Yn **Barn** 414/415 (Gorffennaf / Awst 1997), p. 41.

'Dwyn i gof Bob Owen Croesor' **Casglwr**, Rhif 67 (Gaeaf 1999), p. 1-2.

'Miss James'. **Y Cyfnod.** (19 Ebr. 2002)

'Atgofion y Prifathro Cyntaf' yn **O'r Pandy i'r Llan: Ysgol O M Edwards, Llanuwchllyn** *1954 – 2004* Ysgol O M Edwards, Llanuwchllyn 2004

Erthyglau Amdano

Puw, Ifan Alun 'Yr Hen a'r Newydd' **Pethe Penllyn** Gorffennaf 1976
M.A. i Mr Hwyl! **Golwg** (17.4.97), p. 26
'Llond bywyd o 'Hwyl!' - Ifor Owen (1915-2007). **Golwg** Cyf. 19, rhif 37 (31 Mai 2007), td. 24.
Stephens, Meic Ifor Owen **The Independent** (31 Mai 2007)
Edwards, W.J. Ifor Owen **Y Cyfnod** 15 Mehefin 2007
Puw, Emyr 'Ifor Owen' yn **Y Nomad** Cylchgrawn Cymdeithas Carafanwyr Cymru Rhif 61 Hydref 2007
Golding, Cyril 'Ifor Owen' yn **Y Nomad** Cylchgrawn Cymdeithas Carafanwyr Cymru Rhif 61 Hydref 2007
Edwards, W.J. 'Ifor Owen' (1915-2007) **Casglwr** Rhif 91 (Gaeaf 2007), td. 5.

ANRHYDEDDAU

Y Wisg Wen, 1961
Gwobr T.H Parry-Williams, 1977
Gwobr Mary Vaughan Jones, 1985
MA er anrhydedd, 1997

PWYLLGORAU A CHYNGHORAU

Cenedlaethol
Cymdeithas Cynghorau Bro a Thref Cymru
Cyngor Amgueddfa Genedlaethol Cymru
Pwyllgor Celf a Chrefft yr Eisteddfod Genedlaethol (Cadeirydd)

Sirol
Cymdeithas Cynghorau Bro a Thref Cymru
Cymdeithas Hanes a Chofnodion Sir Feirionnydd (Aelod o'r Cyngor 1950 ymlaen ac Is-lywydd o 1998 ymlaen)
Henaduriaeth Dwyrain Meirionnydd
Pwyllgor Rhanbarth Meirionnydd (Plaid Cymru)

Lleol
Cyngor Cymuned Llanuwchllyn 1974-1987
Awen Meirion Cyf (Cadeirydd o 1972)
Cymdeithas Ddiwylliannol Llanuwchllyn
Pwyllgor Dramau Llanuwchllyn (Cadeirydd)
Eglwys Glanaber (Blaenor ac Ysgrifennydd, 1963-2001)
Pwyllgor Neuadd Llanuwchllyn
Pwyllgor Ystad Glanllyn (Ysgrifennydd)
Gofalaeth Bro Llanuwchllyn (Ysgrifennydd)